教養《リベラルアーツ》を極める読書術

哲学・宗教・歴史・人物伝をこう読む

Asogawa Shizuo
麻生川静男

ビジネス社

はじめに

「人類4000年の特等席」からの見晴らし

昔、ナポレオンがエジプトに進攻した時、ギザのピラミッドを見上げて、並み居る兵士たちに、「兵士諸君、このピラミッドの上から、4000年の歴史が君たちを見おろしている」と鼓舞した。4000年が見おろしているのは何もピラミッドだけではない。我々が恩恵を受けている現代の文明自身がそうだ。現在の出版事情やWeb環境のお陰で、人類が4000年かけて蓄積してきた知識・思想の集積である書物を、現在では過去とはとても比較にならないぐらい安く入手できるようになった。この恵まれた状況を私は「**今、人類4000年の特等席に座っている**」と表現している。この恩恵はとても過去の人には想像もできなかったに違いない。

例えば、徒然草の188段に「ますほのすすき」の意味が分からず悩んでいた登蓮《とうれん》法師は、その意味を知っているという人のことを聞いて雨の中でも走っていったという有名な話が載せられている。現在であれば、この程度のことならスマートフォン片手に検索すれば10分もあれば答えが得られるが、何としてでも疑問を解決したいという熱意は登蓮法師の足元にも及ばないだろう。

せっかく「人類4000年の特等席」に座っていながら、手を伸ばせば届くところにある古今東西の過去の名著にまったく触れることなく過ごしている現代人の何と多いことか！　登蓮法師には敵《かな》わないにしろ、私も人生に関して大きな疑問を抱いて答えを探しもとめてきた。本書は、「人類4000年の特等席」に座っている特権をフルに生かして、半世紀にわたる知的探訪から得られた哲学、宗教、歴史、人物伝に関する私の意見をまとめたものである。

人はいかに生くべきか？

学生時代にふとしたきっかけで、「人はいかに生くべきか？」と人生の意義について真剣に考えるようになった。学業とは関係なく、哲学、宗教、歴史、社会学など実に様々な本を読み、この設問に対する答えを何とか自力で見つけ出そうとした。やがて半世紀になろうとした今になってようやく当時の疑問が分かりかけてきた。当初は、プラトンを中心としたギリシャ哲学に、次いでローマの哲人・セネカなどのストア派の哲学に答えを求めた。そのようにして、最後はドイツ観念論哲学の最高峰のカントまでたどりついた。しかし、進むにつれ、どこか自分の求めているものではない、という意識が強まった。そこで目先を変えて、キリスト教や仏教などの宗教に目を向けた。ドイツとアメリカに留学することで、現地のキリスト教信者たちと実際に議論する経験も積んだが、疑問は一向に解消されなかった。それではと、アリストテレス哲学を取り入れたイスラム神学やそれから多大な影響を受けた中世ヨーロッパの神学者（主としてトマス・アクィナス）も読んだが、いよいよ空回りするばかりであった。

人はどう生きたか？

このように、哲学や宗教からでは、私の当初の疑問に対する答えは見つからなかったが、思いがけなく別の方面から解決の糸口が見えてきた。というのは、カントを読んでいる時に、ほぼ同時並行的に司馬遷の『史記』を読み、それこそ**魂がぶち抜かれるほどの強い衝撃を受けた**からだ。史記はとても二千数百年まえに書かれたものとは思えないほどの圧倒的な臨場感をもって私に迫ってきた。司馬遷の描く人物がまるで目の前を闊歩し、激論を戦わしているように感じた。そこで初めて、そこまで学校で習っていた歴史は、いってみればパイナップルジュースの搾りかすのような、かすかすで味気ないものだと分かった。史記を読んだあと、本物の歴史書（中国の場合、史書という）を何冊か読んで、ようやく歴史とは人間の生々しいドラマを描いたものだと発見した。

私の考えるに歴史と、哲学や宗教の差は次の点にある。哲学は「人はいかに生くべきか」という「べき論」が述べられている。宗教は目には見えない神への帰依・信仰を前提として、いわゆる「神の摂理」なるものの制約内での「義《ただ》しい」生き方の「べき論」が論じられる。いずれにしろ、この両者に共通なのは「〇〇をすべし」という理念を全面に掲げ、人にそれに従うように強いることだ。それはあたかも交通法規のように、一般論としては認めざるを得ないが、実際問題として他の要素がからんだ時にはどうすればよいのか、といった疑問には答えていない。

ところが、歴史の中に現れている人間ドラマは実際の状況で人がどのように行動したかという現実の顛末が語られている。このような歴史記述を「人物伝」と呼ぶことにしよう。歴史は哲学や宗教と異なり、単線の「べき論」を強要しない。一つの例は、中国の歴史書によく表れる「権《けん》」という概念だ。これは法律的には間違っている、つまり法令違反ではあるが、実際の行為を見ると高く評価できる行動のことだ。（詳しくは『世にも恐ろしい中国人の戦略思考』小学館新書　をご覧頂きたい）　複数の価値基準が並存し、どれを選ぶかの選択権が読者にあるのが歴史、および人物伝の長所といえる。

人物が実に活き活きと躍動している本物の歴史書（具体的には中国の史書と、ギリシャローマの歴史書）を何度も読むうちに、「自分が求めていた人の生き方に対する答えは歴史書・人物伝の中にある」と確信を持つに至った。つまり、哲学や宗教の「人はいかに生くべきか？」のテーマから、「人が主人公」の歴史書や人物伝の「人はどう生きたか？」のテーマへとシフトすることで、ようやく本来の「人の生き方」に対する答えを導きだすことができた。

「人が主人公の歴史」というのは、何も王侯貴族や英雄だけが次々と登場する歴史をいうのではない。名も無い庶民も含め、当時の人々が共通に抱いていた「**時代精神**」の躍動が手に取るように分かるものだ。そのためには、当時の人々は一体どういう暮らしをしていたのかという状況を読者が想像できるようでなければいけない。人々の生活が分かってこそ、事件の描写が意味を持ってくる。**当時の生活をいわばバーチャル体験してこそ「手触り感」をもって歴史が理解できるのだ**。

その意味で本書においては、哲学、宗教では私自身が権威に寄りかかったり、屈することなく、自主性をもってどのように学んだかを述べ、歴史では私が実践した歴史の新しい読み方、つまり歴史は事件中心ではなく人物中心の「人物伝」として読むことを提唱する。

目次

第1章 哲学

第2章 宗教

第3章 歴史《ヨーロッパ／中国／日本》

第4章 人物伝

序章

「私、カミングアウトしたんです！」

リベラルアーツ道の出発

「**実は私、カミングアウトしたんです！**」初対面の人にこのように話すと、一瞬相手の顔が引きつる。しかし、カミングアウトした経緯を話すと、徐々に頬がゆるみ、目が輝いてくる。私のカミングアウトとは、いわゆる理系から文系に変わる「文転」をしたことだ。

私は小学校のころから工作と算数が大好きな典型的な理系人間であった。中学校までは、机の引き出しは工作道具や電池やモーター、バネ、ギヤーなどの部品が詰まっていた。本などは、教科書とドリルの他は、数えるほどしかなかった。高校でも理数系と英語が得意で、工学部に進学し、エンジニアを目指すことに何のためらいもなかった。

ところが、大学2年生の冬に私の進路を大きく変える事件が起こり、典型的な理系人間が歴史、哲学、宗教などのいわゆる文系科目にのめりこむことになった。四十数年前の「ささいな大事件」が結果的に今まで続く私の知的探究、そう**「リベラルアーツ道」**の出発点であった。ただし、将来の生活のこともあるのでそのまま工学部の学生を続け、ついでに執行猶予の2年間を得るために大学院に進学し、卒業して製造業に就職した。それ故、外見はピュアーな理系のエンジニアで通したが、心の中ではずっと文系的な知的探究を続けていた。そのような仮面生活を何十年も続けていたが、50歳を過ぎるころから文系科目について知識面で十分自信がついてきたので、勢いよく**カミングアウトを宣言する**ことにしたのだった。

本著は、哲学、宗教、歴史、人物伝に関する私の主観を述べた本だが、私のカミングアウトの経緯の説明から始めて、これらの分野をどのように攻略していったのかについて話そうと思う。

自らの体験から語る、哲学、宗教、歴史

ところで、最近、哲学、宗教、歴史に関する新刊書を多くみかける。従来からもこの分野の本は多くあったものの、文章が硬いので敬遠されていたのだが、最近のものは、口調を柔らかくして、図もふんだんにいれて分かりやすくなっている。更には、そのような本をネタにして、YouTubeなどの動画で解説することで、従来、こういった分野を敬遠していた人たちにもアピールしている。

ただ、内容的にはかつての書籍と同じようなテーマが並んでいて、解説も大同小異なものばかりで、教科書風な事実の記述がほとんどだ。その記述からは、これらの科日（哲学、宗教、歴史）を学ぶ必要性は分かるものの、なぜ著者がそれらに取り組んだのかという目的意識がほとんど読み取れない。言い換えれば、著者の哲学や宗教の探究にかける熱意が伝わってこないのである。出世や収入にも無関係なことになぜ、自分の貴重な時間（と金）を費やしてまで取

り組む必要性を感じたのか、その動機が見えてこないのである。**ＡＩが過去の著作を大量に分析すれば作れてしまう程度の本を出して一体どうするのだろう？**

「哲学や宗教を知らないと恥をかきますよ」との脅しに駆り立てられ、「教養人と名乗るに必須のアイテムだから」という衒学《みせびらかし》的な感覚で哲学や宗教に取り組んだところで、受験勉強的な薄っぺらい事項の暗記に留まるのは明らかだ。心の奥底から湧き上がってくる「どうしても哲学（宗教）の本質を見極めたい！」というような強い思いなくして、奥の院の扉は開かない。

そのような強烈な思いを全面に出した哲学の本がある。中央大学の教授で、ドイツの哲学者ハイデッガーの研究者として有名な故・木田元が書いた本だ。

木田氏は『闇屋になりそこねた哲学者』という型やぶりなタイトルの本を出版し、自分の哲学遍歴を赤裸々に綴っている。熱意とハイテンションは充分伝わるものの、「ハイデッガーの『存在と時間』は理解できなかったが、強く惹きつけられた」というが、どこにそれほど興味をもったのかという肝心な部分は残念ながら書かれていない。

しかし、別の本『反哲学入門』は、西洋哲学史の最初、つまりギリシャから始まって、中世は軽く飛ばして、近代にいたるまでの木田氏の主観が強くにじみ出た解説書となっている。世間では、絶対視されているような大哲学者、例えばデカルトも「自分にはよく分からない」とあっけらかんと述べ、史には、日本人はそもそも西洋哲学と相容れない感情を持っていると喝破している。要は、西洋人は神や超自然現象などを論理的・理性的に理解しようという指向性があるが、日本人にはそういった意識はなく、詩的直観を重んじる思考なので、根本的に西洋哲学は日本人には合わないという理屈だ。このような大胆なことを断定的に言えるのも木田氏が西洋哲学を自分なりにとことん理解したいという強い願望を持ち続けていたからだと思う。

木田氏に倣って、なぜ私が本書で述べるような哲学、宗教、歴史、人物伝に興味を持ったか、さらには、世間の評価と関係なく、私がそれぞれをどのように評価しているかについて極めて率直な感想を披露したい。

徹夜マージャンの果てに

話は、40数年前の学生時代まで戻る。当時、私は学生の必須科目であったマージャンができなかったので、冬のある晩に学友の下宿で教えてもらうことになった。夕食後、始めた麻雀の手ほどきは、とうとう徹夜マージャンとなった。私はマージャンができるようになった興奮で眼が冴えていたが、残りの三人の内二人はうとうとと寝入ってしまった。残された私ともう一人は、初めはたわいのない授業などの話をしていたが、次第に人生論や世界観などについて真剣な議論をするようになった。当時私は、同級生よりは多少本を読んでいると自惚《うぬぼ》れていたので相手に不足はないと高を括っていた。ところが、相手からしぶとく論理的な欠陥を衝かれた私は次第に考えがまとまらなくなってきた。それでもムキになって応戦していたものの、自分で聞いていてもまったくめちゃめちゃな論理の展開だった。ここに至っては、私は今まで人生について何もまともに考えてこなかった自分自身が嫌になるほど恥ずかしくなった。

下宿に戻ってから、今朝の議論を再点検した。「自分に何が欠けていたのか？」まる一日考えて、私は決心した「人生の意義とは何なのか？　正しい生き方とは何なのか？　自分がなんのために生まれたか？　こういった問いの解決を第一目標としよう」。当時20歳だった私は解答期限を10年間、つまり30歳になるまでと決めた。

ギリシャ・ローマの哲学にたどりつく

当時、昭和50年ごろ、世の中にようやく週休2日制が広まり出したのになぞらえて、私は「**週労2日制**」という造語を作った。週の2日は専門である機械工学の学業に専念するものの、残りの5日は自分で決めた目標、つまり「**人生の意義とは何か**」について納得する答えをみつけるために読書に専念することにした。何から読んでいいのか分からないので、とりあえず人生論と銘打った本を手当たり次第に読んだ。亀井勝一郎、河合栄治郎、三木清、倉田百三、阿部次郎などいわゆる大正デモクラシーの自由主義思想家たちが多かったが、何冊か読むうちに、彼らの思想のバックボーンをなしているのがドイツ観念哲学だと分かった。

これら自由主義思想家が一様に挙げている筆頭は近代ドイツ観念論を代表する哲学者である

カント、ヘーゲルであったが、必ずギリシャの哲人であるソクラテス、プラトン、アリストテレスの名も挙がっていた。その他、ショーペンハウアー、モンテーニュ、デカルトなどの名前もしばしば登場していた。これは当時の世界共通の現象であったことはオックスフォード大学の哲学科を卒業したブライアン・マギーの『哲学人』（上・下）の回想からも分かる。

いろいろと読んでみて、結局、私の感覚に一番フィットするのがギリシャやローマ（ヘレニズム）の哲学であるということが分かった。それは彼らの議論の中心が「人はどのように生きるべきか」、とまさしく私が求めていたテーマであったからだ。

ところで人生の意味探求と同時に、ドイツ語に非常に興味を持ち、ドイツ留学を目指していたが、運よくサンケイスカラシップの留学試験に合格して、22歳の夏にドイツに留学することができた。ドイツ留学のおかげでドイツ語がよく読めるようになったので、ドイツで出版されていたギリシャ・ローマの哲人の書物を数十冊購入して帰国した。これらの中で一番強く感銘を受けたのはプラトンとセネカであった。また、モンテーニュの『エセー』を読んでからはモンテーニュと共にプルタークも私の愛読書となった。

これらの哲学者や哲人の中では、とりわけプラトンが私に非常に大きなインパクトを与えた。それは、内容というよりその語り口、いわゆるレトリックである。彼の対話篇は私にとってはシェークスピア以上に素晴らしい戯曲であった。例えば、「プロタゴラス」では、高名なソフイスト（遊説弁舌家）のプロタゴラスとソクラテスの語り口の違いがくっきりと分かるように書かれている。プロタゴラスは長文の演説で問題の核心をぼやかしながら、それでも人を知らず知らずの内に自分の土俵に引きずりこむ。それに対し、ソクラテスはまるで幾何学の証明問題を解くように、一問一答方式で緻密な論理展開をする。プラトンはその二人の特徴をあますところなく描写しているので、読んでいると二人を取り囲む数人の若者が熱心に聴きながら時折拍手したり、相手方を冷やかしたりしている光景があたかもテレビを見ているように眼に浮んできた。

数多くの対話編を残した
プラトン

プラトンとセネカに魅了される

もっともプラトンは初めからこのように面白く読めたわけではなかった。19世紀ドイツの神学者であるシュライエルマハーがドイツ語に訳したプラトン全集を読み始めた最初は、禅問答よりもはるかに禅問答的な内容に、ただただ呆然としていた。が、次第にその文体に慣れるにしたがって、生まれて初めて、そこまで表面的にしか理解していなかった**「言葉の論理性」**が実感を伴って理解することができた。ただシェライエルマハーの訳のところどころにドイツ語としては非常に奇妙な（大阪弁でいう、けったいな）文章があったが、それが果たしてプラトンの言い方なのかが気にかかった。この疑問が後に古典ギリシャ語を学ぶドライビング・フォースとなった。それはそうとして、ともかくも「物事を論理的に考えるとはこのようなことなのか！」と、目を大きく見開かされた。これこそがフィロソフィー（知を愛する）であり、その具体例がプラトンの対話編であると納得した。

このようにしてプラトン全集をドイツ留学時に読み始めたが読了できず、帰国後、数ヶ月たってようやく全巻を読み終えたとき、やっとヨーロッパ哲学が何を問題としているかという根本命題をつかんだ。**形而上学的には「神、存在論」が中心テーマで、倫理的には「義、自由」であると理解した**。

プラトンを読んだ後、アリストテレスの『ニコマコス倫理学』『形而上学』『政治学』『トピカ』などの主要な著作をドイツ語で読んだが、正直なところ『ニコマコス倫理学』以外はあまり興味が持てなかった。アリストテレスの文章が、プラトンの対話編に見られるような劇的な盛り上がりを欠いたまま、どこまでも淡々と続くのには辟易した。それで、これ以降長い間、アリストテレスには「敬して遠避《とおざ》く」の態度をとった。

一方、ローマの哲学に関してはセネカを初めとするストア派にぐいぐいとひきこまれた。ストア派はギリシャ人のゼノンが開いた、元来ソクラテス哲学の系統であるが、理性および強い意志の力を何よりも尊重する。「苦難、貧困は意志の力で克服でき、幸福にはなんら障害にならない」と主張する。このような考えは、仏教や儒教でも見出せるが、ストア派のレトリックは一枚上手だ。巧みな比喩を用いたり、あるいは短い疑問文をいくつも重ねることで、相手に反論させる隙を見せずに説き伏せてしまう。もっとも、こういった迫力はストア派に限らずギリシャ・ローマの古典に共通に見られる。「ドイツ語の訳文から感じられるこの強烈な迫力は、原文のラテン語では一体どのように表現されているのだろうか」という疑問から、後にラテン語の習得に向った。

さて、ドイツ留学から戻った時は、私の人生の中でも最もドイツ語がよく読めた時であったので、勢いに任せてカントの『純粋理性批判』をドイツ語で読みだした。確かにカントの文章は世間の評判通り難解であったが、論点を図にして整理しながら読むと、意外によく理解でき、読みとおすことができた。ついで『判断力批判』も読み通した。このように西洋哲学に関してはプラトンから始まり最終的にはカントまでをざっとではあるが読み終えた。西洋哲学の中心課題の一つが「神」だといったが、「神とは何か」については哲学者だけでなく各派の宗教もそれぞれ勝手な主張を繰り広げている。そのような多様な意見に振り回されて、私は迷うことだらけであったが、カントのこの二書によってようやく長年の疑問であった神の問題が私の心の中では一応の決着を見た。それで一時的にはではあるが私の興味は西洋哲学から離れて、中国古典に向かった。

興味の中心が哲学から歴史・人物伝へ

というのは、この時期、同時並行的に司馬遷の『史記』を1ヶ月かけて日本語で読み、大いなる衝撃を受けて、中国の歴史に対する興味が俄然湧いてきたからであった。というのも、当初の疑問である「人間はいかに生くべきか」という問いに対してギリシャ・ローマの哲学者たちや諸子百家のような中国古代の思想家の意見は一面では納得はするものの、時にはどこか釈然としないものを感じていたからである。ただ、当時の私の人生経験からは彼らの主張のどこがおかしいのかについて明確に指摘できなかった。人生経験を急に増すことはできない。そこで私は過去の人たちの経験を知ることで代用しようと考え、読書の対象を次第に「……であるべき」論が主体の哲学から「……であった」論が主体の歴史、それも人物論の記述が多い歴史に移していった。

こうした意味で、私にとって司馬遷の『史記』はぴったりの指南書であった。その全体像は「人生の曼荼羅《まんだら》」のように思えたし、『史記』によって「人はいかに生くべきか」という哲学的課題に対する回答を学んだように思う。それは、こむずかしい理論をこねくりまわすのではなく、実際に生きた人の中に自分がモデルとすべき人を見出すという探訪であった。現代用語風に言えば**実例ベースのケーススタディ**だ。

このようにして、結局、私の知的探究はヨーロッパ古典と中国古典の2本の軸を中心として展開し、次第に人物論に傾斜していったが、それはアメリカ留学から戻って新しい部署で仕事を始めた30歳の頃であった。

40歳でさらに深く追究

20歳の時に決めた人生探求の目標は30歳になってもまだ到達できていなかった。言い訳がましくなるが、会社員としての仕事も忙しくなり、その上結婚して家庭をもち、子供の誕生なども重なったので正直なところ、人生探求のための読書ペースは学生時代に比べると格段に落ちた。気づくと40歳になっていたが、この時、大きな転機があった。

当時の勤務先であるソフトウェア開発会社の業績が数年間思わしくなく、社長が交代して、新しい経営方針が打ち出された。新社長の経営方針は私にはまったくナンセンスに思えたので内心大いに憤慨したのだが、いざ、私自身が経営者の立場で、会社をどうしたらよいか、と自問自答した時、自分なりの答えを持っていないことに気付き、愕然とした。それまで、ソフトウェア開発や私が責任者として立ち上げた社内ベンチャーのデータマイニング事業に関する知識や技術を一生懸命磨いてきたのであったが、ここで一転して会社運営やリーダーシップも含め、再度、人生の意義を深く考えだすようになった。

いろいろと考えた末、**「まずは再度、漢文で中国古典をじっくりと読み返そう」**と決めた。というのは、それまで『史記』を初めとして数多くの中国古典を読んでいたが、人の統率などリーダーシップにまつわる話がかなり多いことを読書を通じて知っていたからである。中国古典なら私の直面する問題の解決に役立つヒントをいくつも与えてくれるだろうと期待した。

私の手元には漢文の中国古典のシリーズである国訳漢文大成の経子史部《けいししぶ》が揃っていた。これは大正末期から昭和の初めにかけて出版されたもので、神保町の古本屋で購入した。私はアメリカ留学から帰国後、東京勤務になったが会社から神保町までは歩いて行ける距離にあったので、頻繁に古本屋に立ち寄り漢文の本を次々と購入していたので、この初めの巻からじっくりと読んでいくことにした。

現在、漢文のシリーズとしては、明治書院の新釈漢文大系が有名で、原文に書き下《くだ》し文、現代語訳、丁寧な語釈、と至れり尽くせりの情報が満載である。それに引きかえ国訳漢文大成は書き下し文と申し訳程度の語釈しかなく、原文は巻末に返り点だけつけてべったりと印字されている。その上、戦前に組版されたので全文、旧漢字、旧かなである。現代の読者にとっては全文が旧漢字の国訳漢文大成は読みにくいかもしれないが、私にとって旧漢字はまったく問題なかった。逆に明治書院のように語釈が受験参考書並みにびっしりと多いのは読む気にならない。というのは、あまりにも過剰な語釈のせいで本文が断片的になり通読が邪魔されるからだ。

更に、私の主義は「読書百遍、而義自見《ぎおのずからあらわる》」（読書百遍すれば意味はおのずと明らかになる）であり、本文を何度も読むことを重視するからだ。ついでに言うと、国訳漢文大成と類似のシリーズに戦前に出版された有朋堂書店の漢文叢書がある。こちらは、サイズが小ぶりであるので机の上で読むには少々扱いにくいが、語釈は同じく少ないので、通読するには便利である。このシリーズには国訳漢文大成に欠けている『蒙求《もうぎゅう》』『説苑《ぜいえん》』『世説新語』『列女伝』が揃っている。

当時の私は組織運営やリーダーシップについて悩んでいたので、取り急ぎ、国訳漢文大成の書き下し文で中国古典を読むことにし、総ページ数五千ページを優に超える分量を読んだ。それまでに『史記』や『資治通鑑《しじつがん》』を初めとして中華書局の標点本にある程度慣れていた私は、「書き下し文は、かったるい」と敬遠していたのだが、案に反して、リズム感が非常に心地良く感じるようになった。分からないところは語釈をちょっと参考にする程度で、ずんずんと読んでいくことができた。

この時に、漢文の「弁論術」的な観点に魅了された。弁論術は西洋ではレトリックと呼ばれているが、中国でも戦国時代には諸子百家が大いに弁舌を振るった。縦横家と言われている人たちだけでなく、孟子や荀子などの儒者を初めとして墨子や韓非子《かんぴし》などの諸子百家はいずれも皆、残されている文章から判断すると、非常な雄弁家である。雄弁家のテクニックが一番よく分かるのは『戦国策』であるが、その他にも『説苑』『呂氏春秋《りょししゅんじゅう》』『淮南子《えなんじ》』『韓非子』（内儲説、説林など）は中国式レトリックの見本だ。

このようにして、中国古典の主要な経書（儒教関連）や子書（諸子百家の書物）のほとんどを書き下し文で読破した。ただ残念ながら、当初の目的である会社運営やリーダーシップに役立つものはあまり見つけることができなかった。このように言うときっと次のような反論に出合うだろう。「中国古典は、名だたる経営者たちがこぞって経営のヒントを得る指南書として活用しているではないか！　それが見つからないというのは、あなたの読み方がおかしいのではないか？」

このような反論があることは私も重々承知している。それでも尚、私がこのように言うのは、**これらの書（経書、諸子百家）に書かれている統治理論の多くは検証された定理ではなく、単なる願望にすぎないからである**。一例として『論語』の《顔淵編《がんえんへん》》にある次の文句を考えてみよう。

季康子《きこうし》が盗賊対策について孔子に尋ねた。孔子が答えていうには「もし貴卿が強欲でないなら、庶民はいくら褒美を出すといわれても盗みはしないでしょう」（季康子患盗、問於孔子。孔子対曰「苟子之不欲、雖賞之不窃」）

孔子の主張は、「世の中に盗賊が多いのは為政者である季康子が庶民から重税を取り立てるからだ。季康子が重税を止めれば盗賊はいなくなる」。現代風に解釈すれば、盗賊の多さは為政者の欲の大きさと正比例の関係にあるということだ。この理論に従えば、為政者が無欲になれば、盗賊はいなくなるという理屈だ。しかし、実際にはそうはならないのは明らかなので、孔子の言葉は「褒美を出すといわれても、誰も盗みをしないようになって欲しいなあ」という願望を述べたまで、と解釈するのが正しいと言える。

ところが、『論語』をはじめとして経書に書かれている文言は聖人の言葉であるので伝統的に反論が許されず、いわば「不磨の大典」と崇められてきた。諸子百家の文言も同様な扱いを受けているものが多い。この意味で、**中国古典の文言をそのまま鵜呑みにして会社運営に適用することは危険なことだと悟った**。ただ、統治理論を学ぶには中国古典は役に立たないが、人物伝つまり「人の生き方」や個人の修養あるいはリーダーシップの教科書として学ぶところは非常に多い。その意味で、**中国古典は人物伝、つまり史書を読むべきだ**と考えるに至った。

漢文が自在に読めるようになったこと

ところで、本書で取り上げる哲学、宗教、歴史などを深く理解するためには語学の習得は欠かせない。とりわけ日本人にとっては漢文がすらすらと読めて理解できることは、中国文化だけでなく、日本文化を理解するには必須である。私は『史記』に魂を揺さぶられてから、いつかは漢文をすらすらと読めるようになりたいと念願してきた。そして、書き下し文は問題なく理解できるようにはなったが、漢文自体はまだ完璧に読めるというところまでは至っていなかった。しかし、偶然見つけた方法によってそれも達成できた。その話をしよう。

ある時、神保町の山本書店で『王陽明全集・全10巻』（明徳出版社）が目に留まった。陽明学は社会人になった当初、安岡正篤《まさひろ》のビジネス書をかなり読んで以来ずっと関心を持っていた。岩波文庫の『伝習録』をぱらぱらとは読んでみたものの、よく理解できなかったので、それ以上調べようという気にはなれなかった。ところが、目の前に王陽明の10巻の全集が見えて、俄然「これを読めば陽明学が分かる！」（のではないだろうか）とうれしくなって即座に購入した。

この王陽明全集は漢文の原文に書き下し文と注とがついているだけで現代語訳はついていない、至ってシンプルな構成である。しかし、通読を旨としている私にはこれで十分であった。第一巻には『伝習録』が収められているが、これは文庫で読んでいるので飛ばして第二巻の文録から読み始めた。この本には、頭注は過剰なほど多く入っていた。この注には当然のことながら古典からの引用が非常に多い。幸いなことにこれらの出典のほとんどは手元の国訳漢文大成にあるので該当の箇所をチェックしながら読み進めた。『論語』はすでに何度も読んでいるので苦労しなかったが、困ったのは頻繁に引用されている孟子の文章だ。以前、孟子は読んだものの興味が湧かず途中で止めてしまったので理解が不十分のままだった。引用文の意味を理解するために孟子の本文を探してもなかなか見つからず遅々として進まなかった。

しかし、王陽明を理解するには孟子の理解は必須なので、何はともあれまず孟子を通読しようとした。だが、机の前に坐って孟子を読むのはどうもかったるく感じたので、MD（Mini-Disk、今ならスマートフォン）に孟子の書き下し文を自分で進んで吹き込み耳から学ぶことにした。この方法は大学受験に際して、不得意の日本史を暗記した経験で効果は立証済みだ。この時も孟子の書き下し文を全部吹き込んで通勤途中の電車の中などで聞いた。その際、耳で聞くだけでなく、目でも文字を追いかけた。インターネットの中国語のサイトから孟子の本文をダウンロードして、ワードで縦書きにしてプリントした。いわば、自作標点本だ。一日に1時間程度、耳で聞きながら目で文を追うことを数ヶ月続けていると、その内に文を見るだけで頭のなかで自然と書き下し文が鳴り響くようになった！　まるで奇跡が起こったように感じた。

高校の授業で漢文訓読を習うが、苦労する人は多い。私もかつてはその一人であった。しかし、この耳から漢文を聞く方法でまったく苦労せずに漢文が読めるようになった。この経験から言えるのは、文法を学ぶのは後回しで、まずは基本的な単語・熟語と読みなれない漢字を合計100字程度学ぶ必要がある。これは英語でいうと基本2000単語を覚えるようなもので、有無を言わさずに丸暗記するしかない。次に、返り点の規則について言えば、高校の漢文で習うような難しい規則は必要ない。つまりレ点や一二三以上の、こみ入った「上中下、甲乙丙、天地人」は、英語の知識（つまり、動詞＋目的語、前置詞＋名詞の順序）を転用するとまったく不要であるということだ。あれほど難しいと感じていた漢文訓読がたかだか100字程度の漢字の意味と片手ほどのルールを理解するだけで、すらすらと読めてしまうと聞いて何だか拍子抜けしないだろうか？　私も人づてに聞いたなら「**そんなうまい話はあるわけがない！**」と信用しなかっただろうが、実際、自分で試してみて耳から漢文をマスターする効果を十分確信した。

横着をして、孟子の文を耳で聞くという方法を通して、私は図らずも漢文を自己満足できる程度ではあるが、すらすらと読むことができるようになった。翻って、江戸時代、寺子屋で初歩的な教育を受けた人たちでも、どうして漢文がかなり正確に読めるようになったのかは、ひとえに「**漢文を耳から学ぶ**」という点にあったのだと合点がいった。耳からの訓読によって得た漢文読解力が最終的に大著・『資治通鑑』の通読を可能にしたのであった。

知的探訪のための読書

私は西洋と中国に関しては古典を読むことで思想の骨格を形成し、血肉をそれに付け加えてきた。しかし、日本に関しては事情が逆であった。まず、日本の古典文学は高校生の時から好きであったが、大学生のある正月に風邪をひいた時にラジオから流れてきた『蜻蛉日記《かげろうにっき》』の朗読で日本の古典文学への情熱に火がついた。風邪が治ってから早速、古典文学を原文で次々と読み、最後は二週間かけて源氏物語を読破したが、それは耽美主義的な鑑賞から出ることはなかった。

一方、日本の工芸技術（陶磁器、書画、建築、庭園など）に関しては先ずは、本より実物に接した。この点では学生時代を過ごした京都は実物が身近にあったので、非常にありがたかった。それらを繰り返し見ているうちに、徐々に自分なりの考え（血肉・筋肉）が形成されていった。しかし、いくら実物を多く見たといっても、それら全体を統括する軸は依然として欠けていた。そのうちに、日本の工芸技術の歴史的背景や思想背景について興味が出てきた。それと共に、日本の歴史、宗教、思想などとの関連を調べだした。そうすることで初めて、学校で習った日本史や以前読んだ日本の古典文学も含めて、日本の精神という全体像が見えるようになってきた。つまり、日本に関しては血肉が先にできて、骨格が後にできたのであった。

　このように私の知的探究の道を振り返ってみるに、能力の開花は、持って生まれた才能ではなく、どれだけ執拗に探究心を抱き続けることができるか、という点にかかっていると分かった。

　ここに来て、以前からの疑問が氷解した。禅の本、例えば『臨済録』『碧巌録』『無門関』を読むとしばしば公案が修行者に出される。公案とは禅問答とも言われ「隻手《せきしゅ》の声《こえ》」（片手で鳴る音とは?）のような論理的には理解し難い設問が多い。しかし、修行者は何とか答えを見つけようと努力する。答えが間違っていると喝をくらい、追い返される。どこが悪いかという指摘もない。このような一見、理不尽のような教えかたが最終的には各人の思考能力の向上につながったのである。つまり、公案を考え続けるという執念を持続させることが最上の教育であったということが、ようやく理解できたのだ。

この教育の利点は、執念の持続のほかに、次の点が挙げられる。もし、弟子の質問に直ちに答を与えるとそれが弟子の頭の中に固定化してしまい、それ以外の答（存在するかしないかは別として）を見つける努力を放棄してしまうことにつながる。元来、質問に対する答えの可能性は一筋の線ではなく、平面的に広がって存在しているはずである。その面全体を隈なく探して、そしてこの答しかない、というところまで行って初めて、求め得た答に対して確信を得ることができる。しかし、それでは非効率であり、答をすぐに知ったほうが無駄な探索をしない分、効率的だとほとんどの現代人は考えるだろう。しかし私はそうは考えない。その理由を説明する前に老子の次の言葉の意味を考えてみよう。

吾是以知無為之有益。不言之教，無為之益，天下希及之
（吾、ここをもって無為の有益なるを知る。不言の教え、無為の益、天下、これに及ぶこと希《まれ》なり。）

老子は「世の中は常に、利益、有用性《メリット》だけを議論するが、一見逆説に聞こえる不言の教えや無為の益の意義については考えようとしない」と、世情をちくりと批判している。

弟子からの疑問について、懇切丁寧に答えるのが教師の役目だと考える現代の甘っちょろい風潮に「不言《ふげん》之《の》教《おしえ》」は頂門の一針となろう。**疑問に対して、答えを教えることは学習者の精神**

的成長にとっては必ずしもプラスにならない。疑問を持ち続け、執拗に解決しようと取り組む、それも疑問が大きければ大きいほど、また持続が長ければ長いほど、線的ではなく面的に思考が深化し、結果的に回り道のように見えて、その人自身が大きく成長する道なのである。

「意中、書あり、腹中、人あり」

大学を出て会社員となったころ、人間としての生き方だけでなく、企業人としての生き方についても考えていた時、たまたまビジネス書から安岡正篤という名を知った。安岡氏は漢籍に造詣が深く古典籍からの引用が数多くあった。『論語』や『史記』といった有名な古典はもちろんだが、明代の儒者の随筆（『菜根譚《さいこんたん》』『呻吟語』など）からの引用が目についた。そういったサビの効いた警句が氏の波長に合うのだろう、安岡氏自身もそのような警句を作っているが、その一つに有名な『六中観』がある。

死中有活（しちゅう、かつあり）
苦中有楽（くちゅう、らくあり）
忙中有閑（ぼうちゅう、かんあり）
壺中有天（こちゅう、てんあり）

意中有人（いちゅう、ひとあり）
腹中有書（ふくちゅう、しょあり）

最後の二つの句だけを説明すると、「意中有人」とは「心の中に尊敬する人がいる、あるいは推挙に値する人がいる」という意味で、「腹中有書」とは、「自分自身の哲学を持ち、愛読書がある」という意味だ。つまり、特定の本を何度も繰り返し読み、暗記するだけでなく、自分の考え方、行動指針など、その本が精神的支柱となっていることをいう。

この『六中観』になぞらえ私の読書遍歴をつらつら考えてみるに

「意中有書、腹中有人」（意中、書あり。腹中、人あり。）

とでも言えよう。

「**意中、書あり**」とは、読みたい本のタイトルが心のどこかにひっかかっている状態をいう。それも、数日や数ヶ月ではなく、数年あるいは十数年も、である。そのような状態がずーっと続くと、不思議なものでいつかその本を読む機会が巡ってくるのだ。なぜそうなるのか、理論的には説明できないが、経験的にはこの法則（rule of thumb）はほぼ間違いないので、気にかかった本のタイトルはしぶとく覚えておくのがよい。

「**腹中、人あり**」とは、言動の指針となる人物が居座っているということだ。私は信心深くないため宗教人の信仰心は分からないので推測するしかないが、キリスト教徒は自分の言動は常に天の神に見られている、と考えているような感情に近いのではないだろうか。ただ私の場合は、腹中に東西の人物伝の中に登場した人物が、一人や二人ではなく数多くいる。それらの人の特定の場面の特定の言動が私の考え方や生き方の指針となっている。

結局、知的探究ということにおいては、学生の受験勉強や、社会人の資格試験のように、好きでもないのに仕方なく無理やり本を読むのではなく、自分の疑問を解くため読書に取り組むことが重要だ。それも二三年というような短いスパンではなく、十数年という長期スパンで考え、細くていいからしぶとく取り組む、という姿勢が重要だとつくづく感じる。

リベラルアーツ研究家として

振り返ってみるに20歳の「徹夜マージャン」から私の知的探究は始まり、30歳になってようやくヨーロッパ古典と中国古典の二つの軸を定めることができた。40歳の時に社長の経営方針に反発を感じてから、組織運営という点において見識が足りないことに気づき、中国古典を突き詰めると同時に、知的探究分野を次々と広げていった。50歳になって企業から大学へ籍を移して、教育に携わるようになって、学生たちに私の考えるリベラルアーツを教えたいと思うようになった。

2008年に京都大学に移り、翌年から一般教養の授業として「国際人のグローバル・リテラシー」という科目を開講した。全体で14コマのコースで、欧米から始まり、日本、イスラム、中国、韓国、インド・東南アジアの歴史・政治・文化・科学技術を網羅するという、極めて野心的な科目であった。この時、たまたまある人の紹介でライフネット生命の出口治明社長（当時）と知り合うことができた。話をすると、イスラムにも詳しいと分かった。当時私は、まだイスラムに関してはいささか理解不足の点があったので出口さんに1コマの出講をお願いした。出口さんには翌年はギリシャ、3年目には中国と、合計3回の講義をお願いしたが、学生たちには出口さんの持つ深い教養は大いなる刺激であったのではないかと思い、感謝している。

結局、京都大学では合計4講の授業を受け持ち、それまでの私の知的探究の成果を出し尽くすこと（coming out）ができた。京都大学の学生にはグローバルな観点のリベラルアーツを教え、世界から京大に来ていた留学生には日本の情報文化や工芸技術を英語で教えた。これらの機会を通じて、当初の西洋古典と中国古典よりも遥かに多くの科目（言語学、宗教、科学史・技術史、美術工芸、生活誌、旅行記）へと広がっていったのであった。分野の広がりを支えたのは、読書であるのはいうまでもないことだが、**もう一つ忘れてはいけないのは、多言語への興味である**。私の場合は学生時代にドイツ語に熱中することで英語以外の言語に興味を持つことができた。多言語ができる、というのは知的好奇心を維持するのに非常に有利なポイントであり、最終的に学識の幅を広げるのに多大な貢献をしてくれるものだ。

いろいろな失敗や偶然が積み重なり、元来は理系人間であった私が文転し、最終的にはカミングアウトしてこのような文系のテーマについて自分の意見を述べることができるようになった。当初、興味の対象はギリシャ・ローマ哲学と中国古典というささやかなものであったが、時とともに対象分野が次々と拡大していった。それは何も「教養あると言われるためにはこれを知らなくっちゃ」というような衒《てら》いが動機ではなかった。何かのきっかけで、あることに対してピンポイントの疑問を持ち、その回答を求めて読書を重ねた結果である。とにかく、**自分の中にある探究心という一灯を頼りにして知識の暗闇の中を歩き回った**。こういった経験から分かったのは、現代日本と世界の出版事情やウェブ環境では大抵のことは、探せば自分で答えを見つけることができるということだった。**学歴や学校歴などに縛られることなく、自分自身の探究心をドライビングフォースとして活用すれば、かなりのことが分かるということだ**。本書では、このことを一番伝えたいと思っている。

第1章

哲学

日本人が苦手な哲学〜西洋と東洋を一望する

人は誰しも人生のある段階で「宇宙はどうなっているのか？」「人生の意義は何？」「人はいかに生くべきか？」と悩むことだろう。しかし、ほとんどの人が目先の切実な生活の課題にかき消され、いつしかこうしたテーマについて真剣に考えることを放棄してしまうものだ。

ところが、一生をかけて人生のテーマをとことん追究した人たちがいた。彼らは哲学者と呼ばれ、紀元前数世紀に世界各地で湧きあがるように様々な哲学が誕生した。中でも、現代に至るまで特に大きな影響力を与えてきたのが古代ギリシャの哲学だ。

ギリシャ哲学はヨーロッパだけでなく世界の哲学の女王として二千数百年間君臨し続けてきた。近代の大哲学者のカント、ヘーゲル、ニーチェといえども、ギリシャ哲学の前に出ると、鼻たれ小僧のように縮こまって見えるが、その威丈高《いたけだか》さを畏れて「敬して遠ざくにしかず」と考える人がいたとしても無理はない。

だが、ギリシャとローマの哲学に四十数年親しく付き合ってきた私の個人的な経験から言うと、これは大いなる誤解である。ギリシャ・ローマの哲学者の実態を知れば、このような考えは吹っ飛んでしまうに違いない。**世間で言われているギリシャ哲学は、いわば超高級な会席料理であり、これをA級グルメと名づけると、ローマの哲学はB級グルメと言える。**

世間的評価から言うと、A級のほうがB級より一段とレベルが高いと考えるだろう。しかし、正装でしか入場を認められないような高級レストランでは、たとえ折り紙つきのA級グルメの料理でもあまり旨く感じないかもしれない。それよりも、気の置けない仲間と、わいわいがやがや言いながらラフに味わえるB級グルメのほうが、余程旨く感じるのではないだろうか？

ギリシャ哲学というと、ソクラテス、プラトン、アリストテレスしか連想できない人は驚くかもしれないが、ヘレニズム哲学（ストア派、エピクロス派）には、専門家からB級グルメのように見くだされてはいるものの、人生の達人・賢人が数多く存在し、彼らの叡智溢れる箴言《しんげん》や警句を聞くとヨーロッパ古典的教養の醍醐味を感じる。

本章では、まずA級のギリシャ哲学だけでなく、B級のローマ（ヘレニズム）の哲学についても触れ、その後、中国の思想家について述べ、最後に日本の思想、とりわけ明治時代に日本に導入された西洋哲学が陥った悲劇的な状況について説くことにしたい。

ギリシャの三大哲学者

ギリシャのA級の大哲学者と言えば、言うまでもなくソクラテス、プラトン、アリストテレスの三人の名前が挙がり、この三人は互いに師弟関係にある。プラトンはソクラテスの弟子であり、アリストテレスはプラトンの弟子である。

ソクラテスは書物を一切書き残さなかったので、その言説は弟子たちの書物に依るしかない。一番弟子のプラトンは、ソクラテスは常に日常的な言葉を使って哲学を語り、その相手も大抵は哲学の専門家でなく、ごく普通の一般人だったと記している。

また、ソクラテスの対話は、一方的な講演方式ではなく、相手の理解を確かめながら一歩一歩階段を登っていく対話形式をとり、もし相手が理解できなければ、必ず立ち止まって理解できるまで説明し、決して対話から逃げず、説明をごまかしたり、はしょったりしなかった。

プラトンはソクラテスを主人公として数多くのソクラテスの対話編を書き残している。ソクラテスの後世への影響はもっぱらこの対話編によるもので、その影響は3方面にわたる。第1は倫理面である。ソクラテスは、不正なことは頑として受け付けない、まさしく正義の塊りのような義の人であった。第2は魂の不死説である。人間の理解は、前世で覚えたことを思い出しているに過ぎないとする想起説とも密接に関連する。（ただしこれはプラトンの説ともいわれる。）第3はその語り口、いわゆるレトリックにある。プラトンの対話編と呼ばれる作品はシェークスピアの戯曲以上の素晴らしさがある。ビジネス書のベストセラー『ザ・ゴール』の著者、ゴールドラット氏は、プラトンは戯曲のように読むべしと推奨している。

ソクラテスの弁舌

A級グルメ的観点では、第1と第2の観点からの説明が多いので、ここでは第3のレトリックの観点について述べよう。

プラトンの対話編（例：メノン、ラケス、テアイテトス）を繙《ひもと》くとすぐに分かるが、ソクラテスの話し方は日本人には馴染みにくい。論理構成は緻密であるものの、実に冗長な話が続く。その上、論理は必ずしも一本線を進むのではなく、あっちへふらり、こっちへふらりと迷走する。しかし、詳細に検討すると、その論理が非常に着実であることに驚くことだろう。

極めて平易な言葉で哲学の本質を論じたソクラテス

対話を通じて物事を根本から考える思考方法は通常、弁証法と呼ばれる。

私は学生時代、物事を論理的に話す方法がまったく分からず、言いたいことの半分も言えないのを、いつももどかしく思っていた。それで、ソクラテスの話し方を、一行ずつ丁寧にノートに取ってみて分析してみた。そこで初めて、あたかも幾何学の証明問題を解く時のように明晰な論理のつながりを感じることができた。つまり「**言葉によって物事を論理的に表現することができる方法**」を会得することができたのだった。

私だけでなく、日本人の多くにとって、プラトンが書き残してくれたソクラテスの対話編から得ることのできる最も大きな収穫はこの点にある。プラトンの著作は思想そのものよりも、「**思考を練るとはどういうことか**」という点をケーススタディ式に学ぶために読まれるべきだと私は考えている。

万学の祖・アリストテレス

超A級の哲学者、アリストテレスはプラトンの学園、アカデミアで20年もの間プラトンの膝下《しっか》で勉学に励み、その聡明ぶりは入門当時から際立っていた。プラトンはもう一人の弟子のクセノクラテスと比較して、「クセノクラテスには拍車が必要だが、アリストテレスには手綱が必要だ」と、アリストテレスの才気渙発さを、いささか危ぶんだ。

アリストテレスはその後、プラトンの学説に疑問をもち、次第に独自の哲学体系を築いていき、遂には師の学説と訣別し、「プラトンはイデア論を唱えた。しかし、いかにプラトンが敬愛すべき師であってもその説が間違っていたら、真理をとる」と宣言した。アリストテレスは持ち前の重厚なやりかたで、プラトンのイデア論の矛盾を徹底的に追究していった。こうしたことから、アリストテレスはプラトンに不足している点をカバーし、更にギリシャ哲学の領域を拡大したといえる。

アリストテレスは、流石に「万学の祖」と呼ばれるだけあって、その著作の範囲はきわめて広く、現在の科目名でいうと、哲学や論理学、弁論術の人文系はもちろんのこと、法律や倫理学、経済などの社会系、さらには天体、気象、物理学、動物学などの自然科学にまで及ぶ。

各内容はともかくとして、彼の書物の特徴は冒頭に断定的口調で天啓のようなフレーズを記している点で、それも極めて簡潔な表現であるため鮮烈な印象を残す。中でも最も有名なのが、『形而上学』の冒頭の次の言葉だろう。

哲学の世界にプラスにもマイナスにも
多大な影響を残したアリストテレス

万人は生まれながらにして知識を欲する。

倫理学の古典中の古典と呼ばれる『ニコマコス倫理学』の冒頭の文句も同じく強烈な印象を与える。

あらゆる技芸や学問だけでなく、人の行動や判断も同じくすべて善を目指していると思

える。

居合抜きの名人が剣を一瞬、閃めかせたかと思うと次の瞬間、相手の首がことりと落ちてしまったかの如く、読者に「ほんまかいな？」と疑う間も与えず、短いながらも強烈に煌《きら》めくフレーズを脳細胞に焼き付ける。読者は瞬時にアリストテレスの呪縛に引き込まれてしまう仕掛けとなっている。

アリストテレスの論理学

アリストテレスが完成した論理学は中世以降、ヨーロッパの学術に絶大なる影響を与えた。**「論理学はアリストテレス以来、いささかも後退する必要がなかったし、今日に至るまで一歩も前進し得なかった」**とカントが賞賛したように、我々人類のハードウェア（肉体やＤＮＡ）が変わることがない限り、我々が必要とする論理学についてはアリストテレスの書物に語り尽くされているといっても過言ではなかろう。

これらの論理学関連の本はまとめて「オルガノン」と呼ばれ、イスラムの世界にも多大な影響を与えた。イスラムの学者たちはアラビア語訳に翻訳されたテキストを研究し、膨大な注をつけるなど、ギリシャ人やローマ人をも凌ぐ理解を示した。ヨーロッパがルネッサンス期にアリストテレスを再発見できたのもイスラムの学者たちのお陰であった。

アリストテレスが残したネガティブな影響

アリストテレスの観念論は、その後2000年以上にもわたって広い分野に影響を与え続け、いずれの分野においても彼の深い学識は光彩を放っていた。ただ、**アリストテレスの断定的な物の言い方に私は個人的にはなじめない。私は、たとえそれが論理的に不完全なものであったにしろ、プラトンが描いたソクラテスの論証のほうに惹かれる。**ソクラテスは常に「こう考えられるが、本当にそうだろうか？」という疑問を持っていたので、確定的な結論がなかなか出てこない。更に、ソクラテスは帰納法的に論理展開するため、結論にたどり着くまでの経路が実にうんざりするほど長い。

これに反して、アリストテレスは演繹的であるので、結論がぼんぼんと飛び出してくる。ちなみに演繹的というのは、初めから、「これこれは、○○だ」と断定する言い方で、例えば『形而上学』には次のような一文がある。

或る質料は感覚的であり、或る質料は思惟的である、そして説明方式には常に［その要素として］一方には質量［類］があり他方には現実性［種差］がある、例えば円の［説明方式の質料」は平面図形である。しかし、感覚的にせよ思惟的にせよ、およそなんらの質料をも有しないものども［最高の類概念］は、まさにこのゆえに、いずれもみな、あたかもこれらがそれ自ら存在であるのと同じように、それぞれそれ自ら或る一つのものである。たとえば［述語諸形態としての］実体、性質、量などの諸概念がそれである。（岩波文庫、出隆・訳）

この一文において、アリストテレスは何の根拠も示すことなしに、「すべての質料は感覚的なものと思惟的なものの二つに分類される」と断定している。確かにこれ以前の章に簡単な説明は見られるもののいろいろな分類の可能性を吟味した上で、このように分類するのが最も妥当だというなら納得できるが、あたかもこの分け方が最善であるかのごとく、頭ごなしに決めつけるやり方はどうも賛同できない。

この例に止まらず、アリストテレスは断定的、教条的な言い方をするが、逆にそのほうが世間にとっては受け入れやすかった。つまり聞いている人は、アリストテレスがあまりにも自信満々で断定的に述べるので疑いの余地のない真理だと錯覚して、そのまま受け取ってしまったのである。

その上、アリストテレスの話を聞いた人たちは、彼の意見を受け売りして、「アリストテレスが〇〇と言っている」と切出すだけで、他人の意見を封じ込めることがいとも簡単にできてしまった。だが、アリストテレスが受け入れられたのは、彼の考えが（必ずしも）正しかった訳ではなく、その文体にかなりの部分を負っているのではないか、と勘ぐりたくなる。

実際、アリストテレスの物理学や天体に関しての理論を検討してみると、感覚に基づいた推論の域を出ていないことが分かる。それも、ちょっと実験してみるだけですぐにおかしいと気付くことも多い。例えば、以下のような理論だ。

○地球はシンメトリー（対称形）なので動かない。
○重い物は軽いものより早く落ちる。
○物体に力を加えると、力に比例した速度が生じる。
○運動するものはすべて何ものかによって動かされる。

このようにアリストテレスの理論には眉唾ものも多いが、こと動物学に関しては鋭い観察力をいかんなく発揮している。しかし、残念なことに論理学を集大成した大学者としての彼の名声のために間違った物理学や天体理論が、呪縛のごとくその後もずっと信じられてきた。ルネッサンス期になり、ガリレオが実験してようやくアリストテレスの理論が間違っていると分かるまで、実に2000年もの時間がかかっている。こうした意味で、アリストテレスは功罪の両面で非常にスケールの大きな哲学者だといえる。

愛すべきB級のローマの哲学者たち

ギリシャ哲学はギリシャのみならず、当時の世界帝国の首都、ローマにも広まった。そのきっかけは紀元前155年にアテネから三人の哲学者がローマに派遣されたことにあった。三人とは当時最高の哲学者たちで、ストア派のディオゲネス、ペリパトス派のクリトラオス、アカデメイア派のカルネアデスのことだ。

とりわけカルネアデスの弁舌はローマの若者を虜にし、至る所で熱狂的に歓迎されローマの貴族たちはすっかりとギリシャかぶれとなった。その中でもスキピオ・アエミリアヌス（小スキピオ）の学術サークルはポリュビオスという精鋭のギリシャ人学者を擁し、大いにギリシャ風の談論を戦わしていた。民族主義者で保守派のマルクス・カトーはそれを苦々しく思い、尚武のローマの伝統に反する国賊と公然と非難した。

カトーから非難されたにも拘わらず、ローマ人のギリシャ文明への傾倒は年を追って激しくなった。しかし、ギリシャ文明の中核である哲学に関していえば、ローマにはついぞギリシャのような専門の哲学者は生まれなかった。とはいえ、ローマの数多くの知識人は競ってギリシャに行き、本場でギリシャ哲学を学んでいた。中でも有名なのが雄弁家として名高いキケロである。キケロは少年時代から頭抜けていて、彼の英才振りを自分の眼で確かめようと、教室には同級生の親たちが大勢押しかけたという。青年期になってキケロはロドス島で弁論術を学んだが、彼のギリシャ語の弁舌にはギリシャ人ですら及ばないと、ギリシャ人の教師を驚嘆させた。

そのキケロは弁論術だけでなく、ギリシャ哲学も我が物とし、アカデメイア派の観点から何冊もの哲学書を著した。『トゥスクルム荘対談集』には、当時のローマの文人サークルの活発な議論の雰囲気がそのまま活字になったような臨場感が溢れている。議論のテーマは、例えば、死とは恐れるべきものか、苦しみ・痛みがないのが幸せか、怒りや欲望は否定されるべきなのか、徳は幸福をもたらすか、など多岐にわたる。これらのテーマは、人生を真剣に生きようと思えば、古今東西を問わず誰でも一度は必ず真剣に取り組むべきテーマであろう。

学問的観点から言えば、キケロのB級哲学は何ら新鮮味をもたらさなかったのは確かだ。ただ彼の書物によって、当時のローマに乱立していた学派の要点がダイジェスト的に分かりやすくまとめられているので現代の我々にとってはありがたい。

ローマを席捲したストア派とエピクロス派

古代ローマの思想界での二大潮流は、ストア学派とエピクロス学派であった。どちらも究極的にはソクラテスから派生している。古代ローマというとすぐに「パンとサーカス」（無料の食糧と娯楽）が連想されるほど、享楽とデカダンスがあふれた淫靡《いんび》な世界と思われがちだが、ローマの哲学界の主流をなしたこの二派はどちらも質実を尊んだ。しかしながら、ストア学派は後世「ストイック＝禁欲主義」と矮小化され、エピクロス学派は「エピキュリアン＝享楽・快楽主義」と誤解された。

ストア派の根本の考えは、人間には他の動物にない「理性」というものがあり、これを自覚し、その理性の導くところに忠実に従うことで初めて「心の平静」、つまり至福の境地に至ると説く。理性というのは、この場合、日本語でいうと「克己心」という訳が一番ぴったりとする。つまり、ストア派は「ストイック＝禁欲主義」というのではなく、善悪を識別する高い知的能力を備えた上で、さらに濫《みだ》りに欲望に負けない、あるいは怒りに任せない、という自己統御能力の高い人を理想像とした。

ストア派のもう一つの特徴は、彼らは当時、すでに世界市民（コスモポリタン）というグローバルな概念を持っていたことだ。もともと、コスモポリタンという単語は樽の哲人として有名なディオゲネスが言い出したと言われている。

この概念を大々的に採用し、ヨーロッパに広めたのがストア派であった。ストア派のセネカが著した道徳書簡集には、「**自分の故郷は、単にこの地球の片隅ではなく、この世界全体である**」という言葉が見える。

セネカは、皇帝ネロの師であり、またストア学派の巨匠として一世を風靡した。もっとも、セネカは禁欲を標榜するストアの学徒でありながら、実際には、かなり享楽的な人生を送ったようだ。その意味で、後世、セネカの哲学と処世（道徳心）の乖離を非難する声は絶えない。しかし、そうだからといってセネカの高い評価はヨーロッパの中世から近年に至るまでずっと変わらなかった。それは、ひとえに彼の文章構成の妙と巧みな比喩にちりばめられた迫力ある見事なレトリックによる。ローマ人が熱狂した弁論術の神髄を知るにはキケロの法廷弁論よりもセネカの『倫理論集』や『倫理書簡集』のほうがよい。

私はセネカに魅入られた一人であり、いわば「**隠れストア派**」である。しかし、ストア派の教説（ドグマ）の中では理性を重視した「無知は悪」や「不動心を養え」という考えには大いに賛同するが、「動物には理性が無い」や「宇宙は意志をもった創造主が統治している」という自然界に関する見解には賛同しない。

こうした意味で、**私はプラトンにしろ、ストア派にしろ、彼らのドグマを私自身の視点で主体的に選択している**。総じて、ストア派が理想とした人間像に活き活きとした息吹を感じており、それは「ストイック＝禁欲」では決して培われない暖かい人間性（ヒューマニティ）によるものだと考えている。

エピクロス派の享楽・快楽主義の誤解

科学技術が発達した現代においてすら、欧米やイスラム圏では無神論者というと往々にして人間性が疑われる。それなのに、エピクロスは紀元前3世紀の段階で既に堂々とこの所信を表明し、数多くの賛同者やフォロワーを集めていた。

しかし、エピクロス自身は神の存在を否定したわけではなく、人と神の関連性が普通に考えられているようなものではないと主張しただけであった。エピクロスは、神はこの人間世界の出来事には関係していないし、人間からの要求（祈り、願い）にも無頓着であり、供え物をしても無意味である、と考えた。迷信深い当時の人たちにとって、エピクロスのこの主張は極めて斬新に映ったことだろう。

エピクロスはさらに、死についてもまったく心配する必要はない、と次のように説いた。

人は死というものが恐ろしいもの、悪いものだと言っているが、そもそもここでいう善悪というものは感覚的なものだ。しかし、死というのは感覚がなくなることである。感覚がなくなった死者にどうして恐ろしいことが知覚できようか！　死が恐ろしいものでないということを正しく理解できた者は生を十分に享受できる。死自体が恐ろしいのではなく、死を恐れつつ生きることが苦であるのだ。

　このようなエピクロスの哲学（エピキュリアン）を世間では快楽主義と呼んでいるのだ。さらには快楽と享楽のすり替えが行われ、「エピクロスは人生を安逸かつ享楽にふけることを主張している」との誤解が広まった。しかし、エピクロスはそのような煽情的な主張をしたのではなく、人間界と世界、さらには宇宙のしくみを正しく理解することが究極的に快楽な生活につながる、ということを論理的に説明した。

　エピクロスのいう快楽主義というのは、まず自然界と人間界を理性的に把握するだけの知性を持たないといけない、という主知主義がベースにある。その知性を正しく活用すると、何が善くて何が正しいことか、つまり善と義が分かる。善と義の正しい認識に至って初めて、迷信や我欲に惑わされることのない人生、つまり快楽に満ちた人生を送ることができる。これがエピクロスの考えであった。このように心が平安なことを彼は「アタラクシア」と呼んだ。

快楽主義を唱えたと誤解された
エピクロス

エピクロスのいう快楽が、一般的に言われ

ている享楽の意味ではなく「心の平静が乱されないこと」という意味ではストア学派と目指す方向は同じであった。しかし、歴史的に見れば、この二派は互いに競い合い、非難し合っていたことから考えると、根本的に自己完結的な幸福を目指すエピクロス派と理性による統治を重視するストア派の考えには決定的な違いがあった。エピクロス派は「やむを得ない事情がある時には、社会的活動をするが、できることなら社会的活動は避ける」と考えていたが、ストア派は「差し支えのない限りは、社会的活動を積極的にする」と考えた。

現在のヨーロッパでは、知識人の社会的任務として積極的に政治活動に参加すべきだという意見が強い。物理学者のアインシュタインは晩年には科学者と言うより、核兵器の廃絶や科学技術の平和利用を訴えた平和思想家として活躍した。またハンガリー出身のユダヤ人であるジョージ・ソロスは国際的に巨額のヘッジファンドを操り、「イングランド銀行を破綻させた男」として悪名高いが、手にした巨額資金によって自分の信念に基づいて政治活動をしている人たちを支援している。またビル・ゲーツは巨額の自己資産を慈善活動につぎ込んでいる。こうした意味で、彼らはいずれもストア派の信念に近い行動倫理を持っているといえよう。

ローマ哲学（別名ヘレニズム哲学）は、日本ではA級のギリシャ哲学に押されて読まれることが少なく、B級哲学のレッテルが張られている。しかしながら、先に述べたように欧米の精神風土に深く根を張り、未だにローマ哲学の愛好者は絶えない。

私は、40年前の学生の頃からB級哲学者たちに親しんできたが、彼らの自由精神に満ち溢れた生き方に大いに共感している。更に言うと、ギリシャにも数多くのB級哲学者がいて、彼らの言動はディオゲネス・ラエルティオスの『ギリシャ哲学者列伝』（岩波文庫）にまとめられている。いずれの哲学者も強烈な個性を持ち、自由な発想がまことに素晴らしく、「本物の哲学者とはこういった人のことをいうのだ」というのが実感として伝わってくる。日本でも教科書的なA級哲学者だけでなく、B級哲学者についてもっと知られるべきだと思う。

ドイツ観念論哲学の巨匠・カント

ローマの後は、中世のスコラ哲学者について述べるのが順序であろう。しかし、スコラ哲学者は同時にキリスト教の信者でもあるので、ほとんどの場合、彼らの教義はキリスト教と密接に関連している。それゆえ、トマス・アクィナスを初めとするスコラ哲学者たちは宗教との関連で述べることにして、時代を近代にまで飛ばしてカントについて述べることにしよう。

ドイツ観念論哲学の巨匠・カントの近代の哲学界における重みは、ちょうど古代のアリストテレスに匹敵すると言えるだろう。中世のスコラ哲学者はキリスト教の教義の枠内でしか物を考えられなかったが、カントはキリスト教徒としての個人的な感情は横において、長年の熟考の成果を基に主著の『純粋理性批判』の中で哲学者として初めて「**神の存在は論理的には証明できない**」との爆弾発言をした。

「神の存在は証明できない」と述べた
大哲学者・カント

「一体どういう根拠があってそういうことが言えるのか？」という疑問から、私がカントに興味をもつようになったのは、ドイツ留学から戻ってきた22歳の時であった。ドイツ留学中、ヨーロッパ各地を旅行し、至るところでキリスト教文化に触れ、ヨーロッパ文化の根幹をなすキリスト教の根本原理を知りたいと思った。

それは一言で言うと「**神は実在するか？　実在するならその正体は何か？**」という疑問への回答であった。宗教という面では、世間一般の日本人とまったく変わらない程度の浅い信仰心しかなかったので、私はキリスト教にしろ、仏教・神道にしろ信仰心とか何かに帰依するという観念をまったく持ち合わせていない。それで、神とは何か、という問題を取り組むのに、宗教から攻めるべきか、哲学から攻めるべきか、迷った。だが、たまたま名前だけを知っていたカントの『純粋理性批判』をドイツ語原文で読み、次いで『判断力批判』を読了してみて、図らずも私の長年の課題を解決することができたのである。

カントの『純粋理性批判』はその衝撃的な内容もさることながら難解なことでも有名である。カントのドイツ語は文章面からみて確かに込み入っている。本当かどうかは知らないが、ある学者がカントのこの本を読んでいたときに、偶然にも友人が部屋に入ってきた。学者は友人に「おお、丁度いいところに来てくれた。ちょっと指を貸してくれんかね」と言ったという。カントの文章は関係代名詞を多用し、単語の係り具合が複雑なので、指が10本では足りなかったのだ。

確かに『純粋理性批判』の文章構造は込み入っているが、使われている単語は、ラテン語由来のいわば外来語を多用しつつもドイツ語固有の柔軟性、造語力の豊富さをうまく使いこなしている。ただ、逆にそうだからこそ、ドイツ語のような利点を持たない他の言語に翻訳するのが、極めて難しい文章なのだ。それで、カントの英訳本は文章がかなり変えられており、もしカントが現代英語のネイティブスピーカーだったらこう言うだろう、という想定での意訳となっている。そうした意味で、カントの英訳本は、我々現代人にとってかなり読みやすくなっている。

カントはこの本のあと、『判断力批判』を著したが、私が読んだ印象では、最初の数十ページを除いては、『純粋理性批判』の続編と言うべき内容であった。つまり、『純粋理性批判』の後、10年もの間さらに思索を重ねた結果、神の存在についての決定論をこの本に集大成したのだと思われる。カントが神について述べた有名な言葉がある。曰く「**哲学者としては、私は神の存在を論理的には否定せざるを得ない**が、キリスト教徒としては神に対する信仰は依然として揺るがない」。

カントのこの結論は私を十分納得させた。というのは、カントは人が物を認識するというのは、どういうステップを踏まないといけないか、という課題をあたかも幾何学の証明問題の解く時のように、まず公理系を構築してから論理的に証明しているからだ。

確かに、現時点から見れば、カントが自明としたいくつかの前提条件、例えば「ニュートン的時空の概念」や「物そのもの」「先験的認識」などには、妥当性を認めがたいものがあるのも事実だ。実際、その不備を補うべくカント以降のヨーロッパの近代哲学は発展していき、それは認識論・存在論という極めて形式論的な形而上学になった。つまり、哲学という母屋が形而上学という店子に乗っ取られてしまい、結果的に難解哲学を生み出した。

難解哲学信仰

現在における本格的な哲学といえば、ドイツ観念論哲学とその系統を指す。それはカントを始祖として、ヘーゲル、フッサール、ハイデッガーに至る。彼らはいずれも主として認識論・存在論をテーマとしており、この意味では、彼らの求めたものは、哲学ではなく、形而上学である。これら近代の哲学はテーマが難解であるというだけでなく、使っている語句や文章も難解である。

とりわけ日本語の場合は、事態は悲惨だ。誰の翻訳を読んでも、世間では誰も聞いたこともないし、使ったこともないような難しい漢語の連続で、訳者は一体誰のためにこのような奇妙な日本語を用いたのか、と理解に苦しむ。

カントの『純粋理性批判』の日本語訳を読んで感激したという話を聞いたことがないのも、何も私だけの経験ではないはずだ。近代の日本の哲学者たちは高踏的《きどった》雰囲気を醸し出す媚薬としてわざと好んで「難解な語句と晦渋な文体」を使ったように感じられる。つまり、形而上学が万学の女王たるに相応《ふさわ》しい煌びやかな装飾が必要だという次第だ。例えば、カントの『純粋理性批判』の日本語訳（篠田英雄訳、岩波文庫）では次のような難解な文が所狭しと並ぶ。

多様な表象〔印象〕は直観において与えられ得るが、この直観は単なる感性的直観であり、従って受容性にほかならない。しかし感性的直観の形式は、ア・プリオリに我々の表象能力のうちに存し得る、とはいえこの形式は、主観が触発される仕方にほかならないのである。ところで多様なもの一般の結合は、感官によっては決して我々のうちに現われ得ない、従ってまた感性的直観の純粋形式のうちに同時に含まれているということもあり得ない、結合は表象能力の自発性作用だからである。この自発性は、感性から区別せられるために、悟性と呼ばれねばならない。

このカントの日本語の訳を一読して分かる人は果たして何人いるだろうか？

これは訳者（篠田英雄）だけが悪いのではなく、現代日本語がそもそもこのような文の真意を表現するのに適切な語彙や文体を備えていないからだ。それにも拘わらず、このような難解な文章を無理に分かろうと努力しても報われることは少ない。その点、先に述べたように、カントの英訳はかなり分かりやすい。これは英語の簡潔な文体とともに、英国の哲学者たちが分かりやすく書こうと努力と情熱を傾けたからだと思う。

我々はそろそろ難解な語句や晦渋な文体を用いる哲学に対して、はっきりと「NO！」を突きつけるべきだ。いくら栄養価の高い食事でも、食べると必ず下痢をするのであれば、まったく意味がないのと同様、読んでも言っていることがまったく理解できず、頭に残らなければ、読むだけ無駄というものだ。

哲学者たるもの、難しい言い回しを一切使わずに哲学の神髄を示したソクラテスを見習うべきだろう。一般人を近づけない難解な哲学用語や文体を使っているかぎり、哲学は我々（人として、および、社会として）が必要とするものにはなり得ない。

デカルトも疑え

大正時代、旧制高等学校の学生たちの間で「デカンショ節」という学生歌が流行ったことがあった。一説によると、「デカンショ」とはデカルト、カント、ショーペンハウアーという三人の哲学者の名前を縮めたものともいわれる。

ここに登場するショーペンハウアーは大哲学者・ヘーゲルと同じ年代に属すが、権威に盲従することに強く反発し、『自ら考えること』という小論で **"Selbstdenken"（ゼルプストデンケン）** が哲学する上で一番重要だと説いた。これは「**自ら主体的に思索する**」という意味で、**健全な懐疑心**をもって大哲学者・大思想家の議論・主張が正しいのかどうかを自ら検証することだ。

その一例を挙げよう。

フランスの大哲学者ルネ・デカルトは、宇宙や神の存在についてさまざまに考えた末に「我思う、故に我あり」という不朽の名言を残した。意味するところは「すべての事柄は疑わしいが、自分が考えているという事実だけは疑う余地のない真理だ」ということだ。デカルトはこの確信から人間は方法的懐疑を通して初めて真理に到達できるということを「方法序説」で主張した。この方法的懐疑を駆使して神の存在を証明することに成功した、と彼は信じた。

この一文を読むと、神の存在証明に成功したデカルトの思考の深さに感嘆するだろう。デカルトの知性は一般人を遥かに越えるレベルで、彼に従っていけばそのうちに真理に到達できるのではないか、と考える人もいるかもしれない。しかし、このような高い知性をもったデカルトでも別の一面では非常に稚拙な意見を述べていることを知ると愕然とするに違いない。

「“自分で考えること”が
人を成長させる」と
説いたショーペンハウアー

彼は『哲学原理』の中で、世界・宇宙の構造を論じ、宇宙は渦構造をしているという「渦動説」を展開した。現代の物理学・天文学を知っている我々からみれば、彼の考える宇宙の構造は、かぐや姫や火星人のような「おとぎ話」かタワゴトにしか聞こえない。この稚拙な「渦動説」から分かることは、神の存在まで証明できたはずのデカルトの知性も完璧でなく、部分的には「張子の虎」でもあったということだ。

健全なる懐疑心をもって自分なりの意見を作り上げることが西欧思想の柱、それも骨太の柱であることを、ショーペンハウアーの「自ら考えること（Selbstdenken）」は教えてくれている。確かに自分なりの考えを持つには幅広い読書が必要だ。喩えて言えば、子供が自転車に乗るとき二輪車では倒れてしまうので、初めは補助輪付きの自転車で練習するようなものだ。読書という補助輪なしには自分なりの思想は持ち得ない。

しかし、慣れてくると補助輪を外して自由に自転車に乗れるように、**本来であれば、大哲学者や大思想家の本を読むというのも過渡期の「補助輪」であるにも拘わらず、いつまでたっても自分自身の考えを構築できず「補助輪」付きの読書から抜け切れない人がいる。**

プラトンの対話編を読む必要性

プラトンはソクラテスを主人公とした多くの対話編を書き残した。初めてプラトンを読むと、その文章があまりにも普通の文章過ぎて「本当にこのような文章が哲学と言えるのだろうか？」と戸惑うことだろう。というのは、たいていの人には「哲学とは難解な語彙と晦渋な文章でなければ表現しきれないものを、読者は呻吟《しんぎん》しながら読み解くものでなければならない」という先入観がこびりついているからだ。

それは、あたかも柔らかくてジューシーな肉は低級であり、堅くて干からび、噛んでも噛んでもなかなかほぐれない肉が高級である、と思い込んでいるのと一緒で、おいしい肉（哲学的思考の結果、コンテンツ）を味わうのが目的ではなく、堅い肉を噛む試練を積むこと（難解な単語、文章を理解すること）が目的であると考えているようなものだ。

プラトンを読み始めてからすでに40年が経過したが、振り返って考えるに、私はプラトンによって初めて哲学の本質を悟ったと言える。つまり哲学とは難しい単語を駆使して、しち面倒なことをとうとうと述べることではなく**「健全な懐疑心をもって自分で考えること」**であると気付くことができた。

この観点に到達して見えてきたことは、**ざっくりと言ってかつての哲学者が考えたことの半**

分近くは妄想、仮説、想定の類であるということだ。しかし、残念ながら、すこしでも哲学に興味を持ち、真摯《しんし》な気持ちで哲学を学ぼうとしている若者の中には、大哲学者たちの言論は真理であり、それをきっちりと暗記することが哲学を学ぶことだ、という間違った考えに毒されている人があまりにも多い。

こういった人は、熱心に「哲学を学んで」いるように見えても自分で考える力がない人であり、それは自力で飛ぶことにできないグライダーのようなものだ。グライダーは他から引っ張られて、あるいは都合のよい風にのって飛び上がりはするが、自力では一歩も飛ぶことができない。つまり、かつての大哲学者の意見ならオウム返しのように言うことはできても、彼らが取り上げていない問題についてはまったく意見を述べることができない。哲学を学ぶということは、かつての哲学者が考えたことを練習台として、その意見に囚われずに自分の考えの芯棒をつくり上げていくことが最終目的なのである。

そこで再度、哲学を学ぶ上でプラトンのソクラテス対話編を読むのがベストだという点を強調しておきたい。

私がプラトンを好む理由の一つとして、「自身の欠点も客観的に評価」するということがある。例えば、プラトンの初期対話編の傑作『ゴルギアス』にはカリクレスのソクラテス批判が載せられており、プラトンは自分が尊敬しているソクラテスがけなされている次のような文章をわざわざ入れている。こういった自由な意見を述べた文章はプラトンの対話編の中に数多く見出せる。

哲学は、若者が教育の一環としてするかぎりにおいては、いいことだ。しかし年をとってもまだ哲学をしているなんて、ソクラテスよ、片腹痛いことだ。

この一文を若い頃に読んだ時には、私は老年になったら哲学を卒業しようと思った。しかし、老年の入り口にさしかかった今、別の考えを持つようになった。

若者の哲学は（自分自身を振り返っても）一種の衒気《げんき》を含んでいる。それは、バラ色の将来を夢見る活力の照り返しのようなものである。ところが、熟年あるいは老年の哲学とは、自分の来し方を振り返りつつ、自分という個人的な世界からもっと広く人類、それも現代だけでなく、過去数千年、未来数千年、いわばお釈迦様の世界観に立って物を見ようとする意識になることだ。それ故、哲学をすること、つまり「自分で考える」ことはプラトンのように一生かけて追究すべきことなのだ、と最近になってようやく悟ることができた。

東洋の哲学

日本の書店では、西洋哲学のコーナー・棚はあるものの、東洋哲学のコーナー・棚がない所が多い。そして「東洋哲学」ではなく「東洋思想」と言い慣わされていて、それは、東洋思想は学問的なレベルでいうと西洋哲学のような厳密度が足りないとの理由からのようだ。

東洋思想・哲学といえば、中国とインドが双璧をなす。インドにはバラモン教の経典であるヴェーダと呼ばれる哲学書の古典があり、中でもウパニシャッドはショーペンハウアーの愛読書であったことでも有名だ。ショーペンハウアーは**ウパニシャッドの根本思想は「情念の滅却」**と見切ったようだが、インド人の思考はとても一筋縄ではいかない代物だ。

それはインド人の書いたものを実際に読んでみるとすぐに了解できる。例えば、法華経を読んでみよう。法華経は、日本では非常に重んじられているお経で、檀一雄の小説『火宅の人』の題名として用いられた「三車《さんしゃ》火宅《かたく》」、あるいは「長者《ちょうじゃ》窮《ぐう》子《じ》」などの有名な説法がある。いずれも散文形式で説法の一節が終わった後に、同じ内容が韻文の「偈」でまた延々と繰り返され、どこまでも続く同じトーンの繰り返しはさながら「鉄道唱歌」だ。

この点について、インド哲学者のゴンダは『インド思想史』で次のように述べている。

インドの哲学では、例証を挙げない限り何ら証明されたと見做《みな》さないことである。例証と比喩が繰り返し繰り返し難問の間を縫って用いられるし、また思惟は、例証が示唆すると思われる事態如何で左右される。

つまり1つの例や比喩だけでは誤解される恐れがあるので、同じような例や比喩を数多く重ねることで話し手の意図がより完全に伝わるとインド人は考えている、ということだ。

インド人はまた、抽象的な議論が好きだ。とりわけ彼らが聖典としてあがめているヴェーダに関しての議論は尽きることがない。それは何も宗教や哲学の分野に限ったことではなく、科学の分野にも顕著にみられる。例えば、インド人が書いた『古代インドの科学と技術の歴史』(東方出版)という本を読んだが、本筋の科学や技術以外の話が延々と続くのにはいささか閉口した。それは私だけでなく、フランス人も次のように同じ感想を述べている。

18世紀、イエズス会の宣教師たちがインドと中国でいろいろな研究をしたが、インドの技術に関しては、中国の技術ほどの知識を得ることはできなかった。また、インドの技術に関する論文はいろいろと訳されてはいるものの、これもあまり役立っていない。というのは、インド人の知識のまとめかたが不明瞭で、中国のように整っていなかったからだ。更に言えば、山とあるインド人の論文はいずれも、研究者の個人の興味のあるテーマに関してだけ述べられていて、テーマ以外のことは完全に無視されているからだ。

この文から分かるように、フランス人の観点から言えばインド人の書いた膨大な論文はまったく要領がつかめないゴミということになる。この文だけ読めば、白人が有色人種を差別的に見下している、と思われかねないが、私も感じたように、科学的な思考プロセスとは何かを理解している人ならば、必ずこのフランス人の感想に同意することだろう。

インド人の表現法は当然のことながらインドの風土に根ざしたもので、古代ギリシャを起源とする近代科学思想とは無関係に発展してきたものだ。それ故、彼らの表現方法が我々の基準に合わないからといって、それが粗雑だとか、レベルが低いというように即断すべきではない。我々のなすべきことはインド人の考え方を非難することではなく、このような考え方をするインド人とどのように付き合うべきか、つまりは我々の態度についてである。日本人は彼らのねちっこい思考や表現に対抗するだけの精神的なタフさを身につけなければいけない。こうした意味でインドの思想・哲学を学ぶことは、インドや東南アジアに進出している日本企業のビジネスパーソンにとっては必須であるといえよう。

中国思想

中国はエジプトやギリシャと並んで、思想に関しては、私の造語であるが「トップ・ヘビー」な文明である。**トップ・ヘビーな文明**とは、古代にその文明の精華が固まって発現していることを指す。中国思想は基本的に春秋戦国時代（紀元前3世紀まで）にあらゆる流派が出尽くしている。その後の2000年、中国の哲学は朱子や王陽明など数人を除いて完全に停滞した。形而上学的な点では、宋代に二程子《にていし》や朱子が太極から始まる宇宙生成について論じたが、結局、何ら目ぼしい真理も見出せず、単に煩雑で不毛な議論の材料を提供したに止まった。これは、彼らの論法が実証性に乏しく、極めて恣意的な主観に過ぎなかったからである。

従って、普通言われている中国思想とは、春秋戦国時代、とりわけ戦国の諸子百家のものを指す。当時の社会は戦争や自然災害が頻発していたので、「平和な生活を送りたい」と望んでいた。それぞれの流派はこのプリミティブな欲求に対する回答を出し合った。それ故、諸子百家の哲学は、国家統治、政治と人としての生き方、つまり倫理に対する回答であった。

儒教

中国の思想・哲学と言えば、まず儒教が挙げられる。儒教は孔子によって作られたのではなく、漢民族の古来の伝統的な考え、習慣を孔子が五常（仁、義、礼、智、信）という徳目を主軸として据え、それをサポートする形で、五倫（父子、君臣、夫婦、長幼、朋友）という対人関係を教えたわけで、これらの徳のベースとなっているのが血族の結束である。

そして、血族の崇高性を形而上学的に解釈する過程で同姓不婚という従来からの習俗を規則化した。これらの規則の中心は礼であり、時代と共にますます複雑で煩わしいものとなった。例えば儒教の経典の内、礼や作法に関する書物、具体的には周礼、儀礼、礼記、大戴礼記《だたいらいき》などを読むと、古代中国人の些細な動作まで事細かく規則を決めた偏執狂《パラノイア》的気質がよく分かる。

儒教の礼で特徴的なのは、規定されているのがいずれも「**顔見知りの間柄**」であるということだ。人倫の基本である「五倫」、つまり「君臣、父子、夫婦、長幼、朋友」の間柄はいずれも顔見知りである。**顔見知りでない他人に対しては、君臣の場合を除いて礼の規定は存在しない。このことから分かるように儒教が対象としているのは、非常に狭く、基本的に家族道徳の域を出ない**。この点は他人との関係を「兼愛」で規定した墨子や「隣人愛」で規定したキリスト教と決定的に異なる。

儒教の武闘派・孟子

日本では儒教というと常に『論語』が挙がるが、短いスローガンの羅列のような『論語』より孟子を読むほうが、中国人の体に染みついた根幹の儒教思想がよく分かる。というのは、『論語』では、結論が並べられているが、孟子の場合は議論の背景の説明や、議論のやりとりが生々しく書かれており、あたかもプラトンの対話編のような臨場感を感じることができるからだ。

儒者の中では孟子は荀子と並んで弁論家の最右翼である。荀子が諄々《じゅんじゅん》と説くのに対して、孟子は、骨太の論理で押しまくる舌論の闘士である。

それをよく表しているのが「自らかえりみて縮《なお》くんば、千万人といえども吾は往かん！」という言葉だ。「自分の考え方が正しいと確信したなら、たとえ反対者が千万人いても実行すべし」という強い決意が読み取れる。孟子を読むと、中国や朝鮮の儒者たちが命を懸けてまで持論を押し通した、何ものをも恐れない気概の源が理解できる。王陽明や吉田松陰は孟子を愛読したと言われているが、彼らの言動をみると孟子の影響を強く感じる。

また孟子は「易姓革命《えきせいかくめい》」という理論を作った。つまり王朝というのは天の支持があってこそ安定するが、為政者が天の意思に反する行為をすれば、それになり替わって統治する者を天が指名するというものだ。その後、「易姓革命」理論は王朝を倒すときのスローガンとなった。

民衆が不満を爆発させるのは天の意思だと勝手に唱えることが正当化されたのだ。言ってみれば、孟子の理論が、その後の中国2500年の混乱を正当化したとも言える。

日本の儒教は、儒教フレーバーに過ぎない

ここで日本に入ってきた儒教について考えてみよう。世間では「江戸時代には儒教、とりわけ朱子学が広まった。その結果、忠孝が日本人の精神のバックボーンとなった」という人がいるが、私はこの意見に賛同しない。その理由は**「日本人の考える儒教は儒教フレーバー（儒教もどき）であって、儒教そのものではない」**と考えているからだ。

本物の儒教と儒教フレーバーの差が一番端的に現れるのが先祖崇拝だ。先祖を敬うという行為そのものは何も儒教の専売ではなく、日本も含め世界のどの文明にもある。中国や朝鮮の先祖崇拝の特徴は、先祖という抽象的なくくりではなく、先祖の一人ひとりが明確に識別されていることである。少なくとも族譜を持っている人たちは、日本でいうと天皇家か藤原家のように数十代も遡り、先祖の名前を識別し得る。この意味で、先祖の一人ひとりの名前まで識別している本場中国の先祖崇拝は、個別の先祖の名前など3代を遡るとまったく分からず、先祖という抽象的なレベルでしかイメージできない我々日本人の比ではないことは明らかだ。

中国の史書を読んでいると、よく「○○は△△の何世の孫」という表現に出くわす。つまり

これは、その人物の先祖の何世代も前まで遡って情報が正確に保管されていたことを物語っている。確かに正史などをチェックすると、実際、その何世前の先祖の事蹟を具体的に知ることができる。こういったことから、先祖を抽象的な概念ではなく、血のつながりのある実体として捉えるのが、儒教の本質であることが理解できる。

新儒教・朱子学

朱子学は英語ではNeo-Confucianismと呼ばれ、南宋の朱熹《しゅき》によって体系づけられた新しい儒学という意味だ。Neo（新）の意味は、孔子の言説を朱子が当世風に言い直したということであり、具体的には、儒教が金科玉条としている三綱五常《さんこうごじょう》や華夷秩序《かいちつじょ》を、朱子が理気二元説《りきにげんせつ》や性即理《せいそくり》の理論として再構築したものだ。

ちなみに、儒教の三綱五常とは「人として常に踏み行い、重んずべき道のこと」であり、華夷秩序とは「中国の皇帝を頂点とする階層的な国際関係を指し、いわゆる中華思想こと」である。また、朱子の理気二元論とは「宇宙は根本原理である理と、質料としての気とからなり、この両者が相伴って万物をなすという理論」であり、性即理とは「気に汚されない〈本然の性〉こそが天理であるとする説」のことである。とりわけ朱子学では、理、すなわち「自然界の法則」を最も根源的だとし、理を極めること、つまり「窮理《きゅうり》（物事の道理・法則を明らかにすること）」

が重視された。また、朱子学では、古典的教養による人格の陶冶《とうや》（人間のもって生まれた素質や能力を理想的な姿にまで形成すること）を重視する点で、生活苦に縁遠い、極めて貴族的な志向をもった体系と言える。社会的安定は身分差別による秩序がベースとなると説いたことで、その後の為政者がこぞって朱子学を統治理論として採用した。

この点に目をつけた徳川家康が日本に朱子学を導入し、その後、朱子学が官学となって日本国中に広まった。ただし、日本の儒学においては、官学の朱子学者にしろ古学者（伊藤仁斎、荻生徂徠など）にしろ本場中国や朝鮮で重視された「窮理」を顧みることはまったくなかった。こうした意味で、日本の朱子学は儒教と同じく「**朱子学フレーバー**」と言っていいだろう。

日本で絶大な人気を誇る陽明学

陽明学は明の王陽明によって作られた。陽明は、当初、朱子の「理」をまともに理解しようとしてノイローゼになった。その後、煩悶を重ねた結果、ついに朱子に反旗を翻した。朱子の「性即理」は間違いだと否定し、その代わり「心即理」であるべきだという実践重視の陽明学を確立した。感性に軸足を置く陽明学は、理に主軸を置く朱子学が世を席巻していた中国や李氏朝鮮においてはまったく振るわなかった。

王陽明の死後、陽明学は右派と左派に分かれたが、その差は善悪の判断基準に見られる。ただし、大きな枠組みで見れば、両派とも（つまり両派を合わせた陽明学は）次のような実践的倫理観を持っていたと言える。

○我欲を去れば、何が正しいか（天理）が自ずと分かる（**心即理・致良知**）
○良いと分かったことは、ためらわずに実践すべし（**知行合一**）

朱熹が再興した白鹿洞書院
出典：Wikimedia Commons

これら主張は自分の利益だけを考えずに、広く他人のことも考えて行動せよ、ということであるから一見、まったく非難の余地がないように見える。しかし、歴史的に中国や李氏朝鮮でも社会的にそれなりの地位にある陽明学者がいて、陽明学の普及に努めたにも拘わらず結果的に陽明学は日本でしか栄えなかったということは、上記の倫理観のどこかに普遍性に欠けたものがあると考えざるを得ない。それは、最初の項目の「何が正しいか」を各人が主観的に判断する点にある。つまり陽明学には客観的に何が正しいかが分かる方法論はなく、それは「正しいことは胸に手を当てて考えれば分かる」と言っているに等しい。

とはいえ、王陽明が陽明学を唱えてから数多くの門人・追随者がいたことから考えて、彼らは王陽明のいう「正しいこと」が何であるかについて（ある程度）同じ概念を共有していたことは推定できる。

『伝習録』に載せられている王陽明と彼の門人の対話から推察するに、この同じ概念とは中国の伝統的な倫理観そのものである。端的にいえば、「親に孝（先祖崇拝）、兄に悌、君に忠」という儒教倫理である。要は、王陽明もその弟子たちのいずれも、生まれた時からこの同じ倫理観を是とする社会で育ってきたので同じ尺度を共有できたということである。

同じ尺度という点で一例を挙げれば、彼らがいずれも墨子を強く排撃していることだ。墨子は中国本来の倫理観である血の繋がりを社会道徳の基軸とすることに反対した。つまり、**親族なら大切にするがそうでない他人には冷たくしてもよい**、という伝統的価値観を墨子は否定した。墨子の人道主義的な考えは現在の価値観からすると至ってまともな考えと思えるが、中国では紀元前400年以降一貫して彼の考えは人倫を乱すものとして激しく排撃された。そして王陽明やその一派も同じく墨子を排撃した。すなわち、王陽明が言うところの「正しいこと」には、あくまでも「中国の伝統的価値観に照らして」という限定句、あるいは条件節が付いていたのだ。

こうした面において、**陽明学を現在のグローバル社会の理念とするには無理がある**。何故なら、陽明学には「心即理・致良知」や「知行合一」という理念の旗が純粋に存在しているのではなく、その旗に触れようとする者は、必ず「中国の伝統的価値観」という色に染められ、必ずその染料がつくからだ。

「手にハンマーを持つとすべてが釘に見えてくる」という言葉がある。新しい考え方や概念を知ると、それがすべてを解決してくれるような錯覚に陥る。陽明学は過去の日本、特に明治維新において大いに貢献した。また、幕末・維新期には傑物の多くが陽明学の信奉者であったことも認められる。しかし、そうだからと言って現在のグローバルな環境に、陽明学がそのまま通用すると考え、行動することは時代錯誤《アナクロニズム》である。かつては、中国における墨子やローマにおけるエピクロス派のように一世を風靡した思想があったが、それは今では見る影もない。このことから、たとえ優れた思想であっても、他の民族や別の時代にも通用する普遍性がある訳ではないことが分かる。

朱子学と陽明学の差

細部はさておき、朱子学と陽明学の差を鷲づかみにすると、朱子学の基本テーゼは「性即理」であり、陽明学のそれは「心即理」である。ここで、性と心をどうとらえるかがポイントとなる。朱子学では「格物致知」を「事物を極めて、理に到達する」と解釈する。一方、陽明学では「格物致知」を「自分の内面を正していくと、元来人間に備わっている良知が見えてくる」と解釈する。

教科書的な記述では、これでこと足りると澄ましているが、一般人にとっては、これだけでは何のことか分らないに違いない。それで、この記述を料理に喩えて説明してみよう。

朱子学の場合は、ある料理のレシピを料理の専門家が徹底的に研究する。そして、そのレシピで作る料理が評判になると、レシピを固定して、どんな場合でもそのレシピを用いる。ただし、各人が勝手にレシピに書いていないような味付けをすることは厳禁である。一方、陽明学の場合は、レシピは一応参考にするものの、究極的には自分の舌を信じて「うまい」と感じる料理を作る。そのため、味付けはレシピどおりではなく、都度手加減して調味料を加える。

要は、朱子学が外部の規律に範をとるのに対して、陽明学は範を自分の心にとる点が基本的な差異だ。その意味で朱子学は客観的、陽明学は主観的だとも言える。ただ、いずれも根本的な部分では中国の伝統的価値観の枠から一歩も出ていない点では同じ穴のムジナであったと言っていいだろう。グローバル化社会にあってはそのまま活用できないので考慮を要する思想といえる。

老子

儒教は、身分差別をベースとして社会秩序を守ることを最優先する。社会秩序を定式化したのが礼である。従って、複雑で煩わしい礼を覚え、常にそれに従うのが人の道であり、礼を社会全体に強制するのが為政者の務めとなった。しかし、礼は体系化されればされるほど形式に流れ、あまりにも形式に流れる礼は、人間の本性に益することなく、むしろ人に害をなし、思想の自由を奪うと見抜いたのが老子であり荘子であった。

老子は「大道すたれて仁義あり。智慧、出でて大偽あり。六親、和せずして孝慈あり。国家、昏乱して忠臣あり。」と述べて、仁・義・礼などの道徳を声高に言わないといけないのは、むしろ世が乱れたせいだと糾弾した。そして、人為的な礼や制度を投げ出して無為自然に戻ることで世の安定が取り戻せるとのユートピア幻想を振りまいた。とはいえ、老子が言う無為自然は、社会の統治理論の観点からすればまったくの役立たずであるものの、**個人の安心立命の観点から読めば役立つ点は多い**。この意味で老子の思想は、現代のように行きすぎた経済成長信仰や煩雑な規制を醒《さ》めた眼で見直す拠《よ》り所を提供してくれる。

荘子――逆相の世界観

荘子は、老荘と並んで老子の思想を引き継いだように言われているが、私にはそうとは思えない。荘子の本を読むと分かるが、彼は非常に鋭敏な知性を持っている上に強烈な独自性を兼ね備えている。そのような荘子であれば、ゼロからでも独自に老荘思想を構築することができたはずだと思う。

荘子の思想の根源にあるのは、「**逆相の世界観**」である。逆相とは、世間で善としている道徳を疑って見る、つまり逆の方向から社会を照射することである。抽象的で分かりにくいと思われるのでヨーロッパの絵画を例にして説明してみよう。

ボッティチェッリの『ヴィーナスの誕生』とレンブラントの『夜警』を比べてみると、『ヴィーナスの誕生』の背景は明るく、明るいスクリーン中に人や物が描かれている。一方、レンブラントの『夜警』は闇が主で、その中にスポットライトに照らされたように人や物が浮かび上がっている。この二つの絵画の違いは、前者が順相で後者は逆相ということである。レンブラントは絵画において世間一般の光の用い方の観念を逆転させたのだ。

これと同様の意味で、私は荘子の哲学は逆相の世界観をもった哲学だと、言っている。荘子の本文でこの「逆相の世界観」を確認してみよう。（現代語訳は、中公文庫の森三樹三郎）

荘子の外編・胠篋《きょうきょう》編

人の家に忍び込んで、箱をひらいたり、袋のなかを探ったり、櫃《ひつ》を開けたりするこそどろの為に防備をしようとすれば、必ず箱や袋を縄で縛り、錠前を固くしめておくものである。これが世間でいう智慧である。ところが、もし大盗賊がやって来たとすると、櫃ごと背に負い、箱

ボッティチェッリ作『ヴィーナスの誕生』

レンブランド作『夜警』

ごと手にひっさげ、袋ごと背にかついで走り去ってしまう。そのとき、その大盗賊は、箱を縛ってある縄がゆるんだり、錠前がはずれはしないかと、ただそればかりを心配するものだ。とするならば、先にこそどろを防ぐために働かせた知恵というものは、大盗賊のために財宝を積んでおいてやるのに役立つだけではないか。

正義や道徳は、一般的には良いものだと考えられている。その反対の不正や悪徳は悪いものだと考えられている。しかし、この例から分かるように、荘子は正義や道徳も、悪人の奸計を働かせばそのまま悪用されてしまうこともあり得ると言っている。つまり、正義と不正とは、必ずしも絶対的価値を基準として定められている訳でなく、非常に不安定な相対的価値しか持っていないということだ。チャップリンの有名な映画『殺人狂時代』に「一人を殺せば悪党で、百万人を殺せば英雄だ」という台詞があったが、まさに殺人という誰もが認める悪業でさえ数によって価値が逆転するということだ。常識とは逆に、正義や不正が厳然とは存在せず、相対的なものだという発想が荘子の持ち味だ。

書物、「荘子」に関して

現在、我々が手にしている「荘子」は「内編・外編・雑編」の三つの部分から成り立っている。内編は荘子あるいは直弟子が書いたと言われ、外・雑になるに従って、荘子本来の思想から外れているとして、内編の内容だけを他の二編より重要視するのが一般的だ。しかし、私はそうは考えない。「荘子」という本に書いてあるのは荘子本人の考えを中心点としてそこから広がっていったその総体が「荘子」である。私の主張は、他の宗派と比較してみれば妥当な考えだとわかるだろう。

例えば、キリスト教を考えると、旧約聖書と新約聖書、およびその後数百年かけて付け加えられた数多くの教父たちの解釈の総体を彼らはキリスト教の経典と呼んでいる。そもそも旧約聖書というのは数百年かけて編纂されたので、中心軸は共有しているにしてもさまざまな人の思想や解釈が織り込まれている、極めて統一感に欠ける書物である。だが、キリスト教の信者はこれらすべてを一括して自分たちのHoly Bibleとして崇めている。

また仏教の場合は、そのボリュームはそれこそ聖書の百倍近くにもなり、明らかにブッダ本人でない言葉が仏典の大部分を占めているが、それでも仏教はこれらの仏典を拠り所としている。しかし、仏教の宗派はいずれも自分たちの崇める経典（例：華厳経、法華経、大日経など）がブッダの教えを一番正しく伝えていると主張しているが、これは、誰が考えてもおかしいと思われるにも拘わらず2000年にもわたって疑問視されずにいる。こうした観点から「荘子」の「内編・外編・雑編」を一括して「荘子の思想」として読むべきだと私は考えている。

墨子　――儒教に対抗した庶民派

諸子百家の思想家の中で墨子は、一般的にはまったく注目されないが、中国思想を知るには墨子は必読書である。墨子を読む必要性は彼の進歩的、人類愛的思想と、それを受け入れることができなかった中国社会との関連を考えるところにある。墨子（本名は墨翟《ぼくてき》）は古来、賢人として認められてきた。またその弁舌の鋭さは、韓非子や孟子と共に諸子百家の中では群を抜いていている。

例えば、史記に賈誼《かぎ》が「陳渉《ちんしょう》は孔子や墨子の才能もない平凡な人だった」と評価しているように、墨子は孔子（仲尼《ちゅうじ》）と共に賢を並び称されていた。さらに、司馬遷自身も『太史公自序』で諸子百家について短いコメントを述べているが、墨子に関しては次のように好意的に記述している。

墨子は尭舜《ぎょうしゅん》（中国古代の伝説上の帝王である尭と舜）の教えを尊び、贅沢を戒め、粗衣・粗食を実践した。葬式も形式ではなく本心からの哀悼を尊んだ。墨子の教えが本当に世間に受け入れられたなら尊卑の区別がなくなったに違いない。しかし、残念ながらそうはならなかった。倹約することで生活レベルを揚げるというのが墨子の眼目である。何人たりとも、これに異を唱えることはできないであろう。

墨子については、世間では「兼愛（隣人愛）」「非攻（非戦主義）」「節葬（厚葬を否定）」「非楽（音楽を否定）」などのさまざまな意見の持ち主のように言われている。また『非儒』では儒教を激しく攻撃している。しかし、全体をみれば、墨子の根本的な主張は「民に平和で豊かな暮らしをもたらす」に尽きる。非攻や節葬などの言葉ではなく、本質的にどういった社会を築きたいと考えていたかという点からみれば、墨子の主張は庶民の福利厚生であった。誠に墨子は誠実で真摯《しんし》な社会改革者だった。

墨子が生きた時代は、戦争や権力者・富豪者の略奪が止まない日はなかった。その原因は根本のところ、兼愛、つまり隣人愛が欠けているからだ、と墨子は突き止めた。これは、西方でイエスが唱えた隣人愛と同じ趣旨である。ただ、墨子とイエスはそれぞれの伝統的な文化を背負っていたため、二人は完全に同じ主張をしている訳ではない。墨子は中国の伝統である賢人登用による政治の安定、つまりプラトンが理想とした賢人王政治を唱えた。

墨子は最終的には神への帰依を説くイエスとは異なり、あくまでも現世での庶民の福利向上を図ろうとした。墨子のカリスマ的言動に同時代の中国人は熱狂的に惹き付けられたが、それは必ずしも墨子の思想に共感した訳ではなかったことは、墨子の没後、墨子派の勢力が急落し、まったく消滅してしまったことからも分かる。残念ながら墨子の思想は中国文化が浸潤したといわれる朝鮮や日本にはまったく広がらなかった。こうしたことから分かることは、**伝統的な中国思想は「人類愛」ではなく、血族の繁栄をベースとした国家の安寧を志向したということだ。**

中国の思想を知るには哲学書よりも歴史書を！

中国人の考え方の基本は、我々日本人とは比較にならない位、前歴主義である。つまり、過去の「史実」に基づいた発想をする。「この事象はこのように解釈すべし」と世間の大多数が了解すれば、それが史実として定着してしまう。一旦、歴史的事実として認定されてしまえば、それが真実である必要はない。真実より既成事実を重視するという中国人のこの考え方が理解できると、「尭舜聖人説」や「桀紂《けっちゅう》暴君説」などの古典的論説だけでなく、近代の南京大虐殺や現代の南シナ海の領海問題に至るまでの彼らの論法が納得できる。

つまり、これらの説は真実だと納得できないとしても、それに反論することは社会的な反逆児としての烙印を押されることになるから、誰も真実を突き止めようとしなかった。その結果、何千年もの間、中国人は心底ではどう考えていたのかはいざ知らず、表面的には儒教の経書のような古典の記述は「無誤謬真理」だと受け止めてきたのだ。これと同じ発想で、「歴史に名を残す」ことに対して、我々日本人には信じられない位の情熱を燃やしたのが中国人である。

従って、**彼ら中国人の思想・哲学を知ろうとする際には、哲学書より歴史書を読むほうがよく理解できるというのが私がたどりついた結論だ。**

日本の思想・哲学

西洋の哲学、中国の思想・哲学について述べたので、順序として日本の思想・哲学について述べよう。

日本の思想・哲学は主として仏教、儒教、神道、日本固有の四つの流派に分類できるだろう。この中で、仏教と儒教は中国および朝鮮から伝来し、神道と日本固有（修験道、折衷派）は日本で発生した。しかし、日本の古代からの思想・哲学を挙げるときりがないので、中世の思想家・文筆家の代表である鴨長明と吉田兼好、それと江戸時代と明治以降の近代を代表する数人についてだけ述べるに止めたい。

『方丈記』と『徒然草』

『方丈記』と『徒然草』は、ともに日本中世の古典文学の双璧である。どちらも流れるようなリズム感が人を魅了する。そのリズム感に同調するように、方丈記では仏教の無常観が通奏低音としてゆるやかに流れる。無常観は、当時の末法思想の影響であろうか、平家物語にもその傾向はみられる。徒然草では仏教だけでなく、儒教の影響もみられるが、老荘思想が一番強く表れている、と感じる。その意味で、これらの傑作は世界の思想との対比によってはじめて正しく理解できるのではないだろうか。

方丈記の作者、鴨長明はこの世を「仮の宿」といい、来世を願って仏道を修行しているが、心は清められるどころか「濁りに染《し》めり」と独り言をつぶやく。人里離れた庵に住んではいるものの、心は必ずしも俗世間から完全に離脱しているわけではない。このようなどちらか一方に偏ることのない曖昧な態度がしっとりとした情緒を求める日本人の琴線にふれるのであろう。

しかし、そのゆるやかなリズム感も度重なる悲惨な災害に無残にも打ち砕かれる。すさまじい阿鼻叫喚の地獄絵が描き出され、細部にまでリアルに描きだした文章に、読む者はまるで災害現場にいるような錯覚に陥ってしまうことだろう。例えば、地震で6、7歳の子供が押しつぶされ、その両目が一寸（約3センチメートル）も飛び出ていたと災害のすごさをリアルに記す。災害は地震だけでなく、大火事や飢饉や疫病もある。養和の飢饉では、2ヶ月間の京都市中の死者は4万人にも及んだという。

高校生の時、方丈記のこういった災害の様子を読んで酷《ひど》い時代があったものだと哀れに思ったものだが、後年、『資治通鑑《しじつがん》』を読んで中国の自然災害や異民族の侵略戦争の実態を知ると、日本とは規模や悲惨の度合いが桁違いなことに驚いた。確かに中国は、日本に比べて国土も広く人間も多いが、その比例関係以上に中国の自然災害や戦争の酷さは想像を絶する。そこで改めて方丈記の記述を読むと正直なところ「なんとまあ、箱庭的なことよ」と感じてしまう。

ところで、方丈記によると鴨長明は当初、京北の大原に隠棲し、ついで京都の南の日野に移ったようだ。しかし、隠棲といいながらも京都や鎌倉にも行っている。想像するに鴨長明にとって、都から離れた田舎での隠遁というのは一種のポーズのようで、実際はいつまでも俗世から離れがたく思っていたのであろうと想像される。それは西洋の隠遁者と比べてみるとよく分かる。

英語でascesisという単語がある。「苦行」という意味だが、元来はギリシャ語で訓練、練習という一般的な意味であった。後に、宗教的に苦しい訓練、つまり苦行するという特殊な意味を持つようになった。その鍛錬の場所が俗世間からまったく隔絶された場所が望ましいとされた。古代から有名な修行の場所がギリシャの北部の都市、テッサロニキの近くのアトス山である。ここは高野山同様、女人禁制の聖地だ。さらに中世になると、アテネの北西のギリシャの中部にそそり立つ奇岩群の頂上に修道院が建築されたが、それはあたかも中空に浮いているようだとして、メテオラと呼ばれた。厳しい修行の場と言えば、ユダヤ人も旧約聖書のモーゼや新約聖書の預言者ヨハネが人里離れた砂漠の中で修行したように、いずれも完全に脱世俗を貫く。

一方、中国では隠遁場所はどこがよいと考えていたのだろうか？『易経』には「君子以独立不懼、遯世無悶」（君子もって独立して懼《おそ》れず、世を遯《のが》れて悶《もだ》うることなし）とある。つまり「物の道理が分かった君子なら、世を避けて隠遁するには、場所を選ばない。どこに住もうとも平穏に暮らしていける」という理想を掲げる。しかし、これはあくまでも理想であって、実際は住む場所は選んでいたようだ。その場所とは、悟りの度合いに依存する。文選に「小隠は陵藪《りょうそう》に隠れ、大隠は朝市に隠る」とある。つまり「肝っ玉の小さい隠遁者は無理に世俗を離れようとして、田舎の山中に移り住むが、達観した隠遁者は、都会のスーパーマーケットの近くの、暮しに便利な所にすむ」ということだ。いかにも実利的な中国人の考えそうなことだ。

結局、ギリシャやユダヤの隠遁者がまったく人手の入らない自然の中に安らぎの場所を見つけるのに反して、日本（そして中国もそうだが）の隠遁者は、そのような本当の厳しい自然の環境には耐え切れず、ついには俗界に舞い戻る。鴨長明もそうではなかったのか、と感じる。世間では、日本人は自然と調和した生活を好むというが、私は逆に、**日本人というのは案外自然との共生が苦手な民族**ではないかと思っている。

次は吉田兼好に移ろう。

徒然草の思想背景は、仏教、儒教、老荘の3つであると言われている。兼好は法師であるので、当然のことながら仏教的観点からの意見が多いが、私は個人的には兼好はむしろ老荘に傾斜しているのではないかと感じる。例えば、第82段には「古代の賢人の文章も段落が欠けているものが多い」と述べ、物事はむしろ足りない所があるほうがよろしい、との彼の哲学が垣間見える。これは、易経の「亢龍有悔」（亢龍《こうりゅう》に悔あり）と同じく「頂点を極めるのはよろしくない。頂点の一歩手前で満足しておくべし」という処世訓だ。

彼の老荘趣味がよくわかるのは229段の「よき細工は、少し鈍き刀をつかふといふ」の句だ。というのは、論語では孔子は正反対の意見を述べているからだ。《衛霊公《えいれいこう》》に「工欲善其事、必先利其器」（工、その事をよくせんと欲せば、必ずその器を利とす）とあるが、意味は「職人が立派な仕事をしたいと思ったらまず道具を研ぐことだ」。この点では孔子と兼好は反対の意見をもつ。察するに、兼好は実利指向の孔子を内心快く思っていなかったのではないだろうか？老荘派の兼好ならありそうなことだ。

ところで、孔子はここで、なにも職人の道具の話をしようとしているのではない。これは、次の文を言い出すための露払いにすぎない。「この邦《くに》に居るや、その大夫《たいふ》の賢者につかえ、その士の仁者《じんじゃ》を友とする」、つまり、孔子の言いたかったのは「職人が仕事前に丹念に道具を研ぐように、士たるものは国の賢人や仁者を慎重に選び出して師や友としなければいけない」ということだ。つまり「工欲善其事、必先利其器」（工、その事をよくせんと欲せば、必ずその器を利とす）とは職人の道具選定の話ではなく、国家の盛衰は人選にあり、という極めて高次元の話であった。こういう言い回しがいわゆる「此言雖小、可以喩大」（この言、小なりといえども、もって大を喩《たと》うべし）と言われ、中国人が得意とする論法だ。**中国の古典ではこのように、本**

音が連句として、さりげなくつぶやかれるので注意して読む必要がある。

次は、欲望に関する兼好の感覚を中国人と比較してみよう。

徒然草の第38段に「財多ければ身を守るにまどし」（財産が多いと、身を守るのに苦労する）という文句が見える。それに続けて、「利に惑うは、すぐれて愚かなる人なり」という。兼好は「財をどのように使って良いのか知らない人にとっては、財はむしろ害毒である」と言い切る。中国にも同様の言葉が見える。前漢の疏広《そこう》は「愚にして財多ければ、則《すなわ》ちその過ちを益《ま》す」と子孫に多額の財産を残す愚を説いた。この考えは、ローマの哲人・セネカにも共通している。彼の道徳書簡集（5－6）に「富に耐えられないのは胆が据わっていない証拠だ」との文句が見える。

しかし、兼好の分析はそれから先がある。徒然草の第217段では、ある大富豪が「蓄財のポイントはとにかく金を無駄に使わないことだ」と述べた点について兼好は「夢をかなえるために、財を積んだにも拘わらず本来の目的にその財を使うことをしなかったら、貧乏人と変わらないではないか」と批判する。いくら大金を持っていても金を使う気がまったくないなら、もともと財を貯めるための努力は無用であった、と兼好は考えた。そして「大欲は無欲に似たり」と、ダメ押しの鋭い警句で大富豪の哲学をいなす。

ところで、この「大欲は無欲に似たり」は漢文式に書くと「大欲似無欲」となるが、この句は中国古典には見当たらない。この句、どうやら兼好のオリジナルのようだがどこかで聞いたことのある文句だと考えていたら「巌頭之感《がんとうのかん》」を思い出した。「巌頭之感」とは、明治期、若き一高生の藤村操《みさお》が日光・華厳滝で投身自殺する際、崖の上（巌頭）に立った時の心境を美文調で綴った文章だ。

悠々たる哉天壌《かなてんじょう》、遼々たる哉古今。五尺の小躯《しょうく》を以て此大を測らんとす。ホレーショの哲学竟《つい》に何等のオーソリチーを価するものぞ。万有の真相は唯一言にして悉《つく》す、曰く不可解。我れ此恨《このうら》みを懐いて煩悶終に死を決するに至る。既に巌頭に立つに及んで胸中何等の不安あるなし。はじめて知る、大なる悲観は大なる楽観に一致するを。

この最後のフレーズ、「大なる悲観は大なる楽観に一致するを」が「大欲は無欲に似たり」と口調が似ていないだろうか？　一見、まったく正反対の概念が、極限では同じだというのは、何とも通常の論理では理解しがたいが、次のように考えてみたらどうだろう？　真ん中《まなか》が切れた円環《リング》があったとする。真ん中から左の端まで行ったところと、逆に真ん中から右の端に行ったところでは、最初の出発点からみれば方向的にはまったく逆である。しかし、行き着いた先の二つの地点は隣同士に位置する。この類似《アナロジー》が巌頭之感にも徒然草にも共通していると感じられる。徒然草を読んでいるとこういう類似が次々と思い浮かぶ。なるほど、徒然草は長く読み継がれる本だけのことはあると感じる。

江戸時代の日本の思想家

江戸時代、中国伝来の儒教や仏教に反発して国学が興った。その成立過程から容易に想像されるように、国学者には偏狭なナショナリズムに囚われた人が多かった。とはいえ賀茂真淵は国学者ではあるが、非常に柔軟な思考をする人であった。カバーする範囲は文学に止まらず、人間の生き方にまで及ぶ。例えば『国意考』では仏陀が説いた生命の尊さと同じ意図のことを次のような言葉で表現している。

○世の中の生けるものを人のみ貴しと思ふはおろかなる事也。天地の父母の目よりは人も獣も虫も同じ事なるべし。
○人を殺すも虫を殺すも同じ事なるを知るべし。

真淵は人としてではなく、神の立場ですべての生き物を差別なく見た。人間が動物より優れていると考えるのは大間違いだという考えに基づいて、人間が作り上げた文明を批判し、『国意考』では次のように述べている。

人間は万物の霊長と威張っているが、さかしまな智恵を絞りだしていろいろ悪事を働き、世の中に悲哀を作り出している。智恵が蔓延すると、逆に世の中が悪くなる一方というのは、一体どうしたわけだ？　こういう人間のさまを鳥獣が見ると、きっと雛や仔獣に「お前たちは、人間のような悪事をたくらむでないぞ」と諭すに違いない。

つまり、動物と比べて人間のほうが、智恵が発達した分だけ性質《たち》が悪いと指摘している。私は動物のドキュメンタリー番組が好きでよく見るが、粗暴と形容される肉食獣といえども、必要分以上の動物は殺さないし、仕留めた獲物は無駄なく、真剣に食べている。それを考えると、人間は戦争や金品目当てで人の命を奪う。これでは、賀茂真淵のいうように鳥獣からも嘲《あざけ》られてしまうに違いない。万物の霊長と威張るのであれば、人倫という以前にまずは鳥獣・昆虫から見られても、恥ずかしくない振る舞いを心がけるべきだろう。

また、惜しくも30歳の若さで逝去した富永仲基《とみながなかもと》は非常に論理的な思考をする人だった。明治になって内藤湖南が称揚したことで、富永仲基の名が世間に知られるようになった。仲基が唱えた「加上説《かじょう》」は仏教、儒教、神道などすべての教えにおいて、後世になればなるほど、権威づけのため起源を過去に遡らせる傾向にあることを喝破した。江戸時代、封建的な思想抑圧が厳しいなかにあって、賀茂真淵や富永仲基のような独創的な人間こそが本当の意味で哲学者と言えるだろう。

日本初の西洋哲学者・西田幾多郎

明治になって、日本に西洋哲学が紹介された。草創期には、東京帝国大学の井上哲次郎教授（通称、井の哲）が盛んにドイツ哲学を日本の土壌に移植した。しかし井上自身は、夏目漱石によると哲学のことなど皆目分かっていなかったらしい。

本格的な哲学の導入は、明治26年に来日した、ドイツ系ロシア人のラファエル・フォン・ケーベルまで待つことになる。ケーベルが導入したのは当時ヨーロッパの哲学界を席捲していたドイツ観念論、とりわけカント、ヘーゲル、フィヒテ、シェリングらであった。ドイツ語の言語的特性とも相俟って、彼らの理論は重厚かつ晦渋な文体によってページを埋め尽くしていた。それで日本においても翻訳文には、漢語だらけの直訳調の文体が採用されることになった。

西田幾多郎は明治の初期に生まれた。高等学校を中退したため、東京帝国大学に本科生としては入学はできず、選科生という差別待遇を受けながらも、独力でヨーロッパ哲学を咀嚼していった。その独自性がやがて西田哲学と呼ばれる、日本人で初めての本格的哲学体系を構築するのであった。西田を慕って来た、あるいは西田が牽引した、俊英たちとともに京都に西洋哲学のメッカ、京都学派が誕生した。彼らは何れも、素人に難解な述語を多用することで、自らの権威づけに邁進した。京都帝国大学の権威にも支えられ、そういった難解な文章がいつしか哲学というものになくてはならないフレーバーとなってしまった。

その傾向を決定づけたのが西田幾多郎の処女作『善の研究』である。明治44年に出版されたこの本について西田自身は、若い30歳代での書き物であるから満足していなかったようだが、著者の思惑とは無関係に世間の知識階級、とりわけ旧制高等学校生には絶大なる人気を誇った。

しかしここに一つ疑問がある。それは、果たしてこの書は内容が正しく理解されたために有名になったのか、ということだ。というのは、私も20歳代の学生のころ、人並みにこの本にアタックしたが、正直言って、最初のページからその難解さにはついていけないものを感じつつ、何とか辛抱して最初の1／4程度は読んだものの、とうとう挫折してしまったからだ。

それで、私は自分の頭が本格的な哲学をするには緻密度を欠いている、とのコンプレックスを持った。その後数年して、ドイツ留学から戻ってきてドイツ語でカントの『純粋理性批判』にチャレンジし、数ヶ月かけて読了した時は、このコンプレックスは多少払拭された。しかし『善の研究』が読めなかったというトラウマのせいで、西田の本にチャレンジする気持ちは湧いてこなかった。

そして、いつの間にか西田幾多郎や『善の研究』

日本人に西洋哲学の本道を示した
ラファエル・フォン・ケーベル

の名前はすっかり私の頭の中からは消え去っていた。しかし十数年前にふと西田の『日本文化の問題』（岩波新書）という本を目にし、西洋哲学の専門家である西田が日本文化について書いている、という意外性もあって手にとって読んでみることにした。

　西田幾多郎の『日本文化の問題』という本は、その序によると、昭和13年に京都大学の月曜講義で述べた内容をまとめたものであるという。聴講者のほとんどが学生であり、かつ当時の戦時下の状況から反体制的なことをずばり言うことがはばかられる状況を考慮しても、読みにくい文章が続いていた。それに、この本の趣旨が日本文化の問題にあるにも拘わらず、内容のほとんどが、彼の哲学概論の繰り返しで、彼の十八番《おはこ》のキーワード、「純粋経験」、「知的直感」、「行為的直観」、「絶対矛盾の自己同一」などのオンパレードだった。

　私は、すでに『善の研究』でこのような単語へ多少の免疫はあるものの、依然として私の頭が悪いせいで彼の本が理解できないというトラウマが蘇ってきた。しかし、今回は私が興味を持っていた「日本および日本人とは何か?」というテーマについて彼の意見を知りたい、それはこの本のどこかにあるという期待から辛抱して読み進んだ。

　そして、とうとう最後まで読み終えた。しかし、彼は本書のテーマについては、大したことは話していないことが分かり、私は呆然とした。私の読み方が浅いために結論を見過ごしたのかもしれないと思い、再度読み直してみたが、徒労に終わった。確かに、彼は哲学概論だけでなく、日本文化についても触れているが、その内容は私の心を打つものではなかった。例えば、次のような一文がある。

我国文化の根底をなす矛盾的自己同一は、キリスト教文化に於いての様に、何処までも超越的として主体否定、人間否定を有ったものではない。物となって考え物となって行う、物に即した文化である。

私が疑問に思ったのは、このような文を唐突に持ちだしてきて、その理論的根拠も示さず、その歴史的検証も行わないのは、果たして大学の教授のすべきことなのだろうか、ということだった。私は、ここで初めて西田の知性とその学問的姿勢に疑問を持ち始めた。このような疑惑をもって、読み返してみると、難解な言辞をつらね、人が理解に苦しむのを高みから見下して愚弄するかのような西田の姿勢が次々と露わになってきた。

非歴史的な合理主義の立場からは人間的存在の本質が一般的法則に従うにあるかに考えられる。人間が合理的ならざるべからざるは言うまでもない。併し、具体的理性は歴史の形成力でなければならない。人間的存在の本質は歴史的社会的創造にあるのでなければならない。

この文章は一体なにを意味しているのだろうか？

私は、この本を読み返してみて、ようやく**西田の文章を理解できないのは、私自身の知性が未熟のせいではなく、西田その人が理解できないまま難解な言辞を煙幕の如くつらねて書いたせいだと納得するに至った**。その煙幕のうしろには、知性や教養と名づけるのに躊躇するような抽象的な単語だけの荒廃した砂漠があることを見透かすことができた。

例えば、彼自身が中国とインドの文化について論じているなかで、流石に気がひけたのか、「又、仏教というものがシナの民衆的生活に如何程食込んだかを知らない」と告白している。同じくインド文化についても「私は如何にしてインド文化が形成せられたかについて知る所はない」と述べている。

私は、彼の正直さは称賛するものの、いやしくも日本文化について学者としての意見を陳述するに当たって、中国やインドについて無知のままでいるその姿勢に疑問を感じた。つまり、ドイツ哲学の第一人者としての西田幾多郎ではなく、日本最高の知識人の一人としての西田の問題意識のありかた、つまり日本文化と深い拘わりをもつ中国・インドの文化についての無知を恥じないことについてである。

上記のような西田の無責任な態度をみて、西田に対する批判的な意見を述べていた二人の学者を思い出した。一人は、先にも言及した、明治期に本格的なドイツ哲学や古典ギリシャ語を日本に持ち込んだケーベル博士で、もう一人は、漢文学者でありながら、フランス語も堪能で良識派の狩野直喜博士だ。奇しくもこの両人は西田をまったく評価しなかった。私は『日本文

郵便はがき

料金受取人払郵便

牛込局承認

9410

差出有効期間
2021年10月
31日まで
切手はいりません

162-8790

東京都新宿区矢来町114番地
神楽坂高橋ビル5F

株式会社ビジネス社

愛読者係 行

ご住所 〒 TEL: ( ) FAX: ( )		
フリガナ お名前	年齢	性別 男・女
ご職業	メールアドレスまたはFAX メールまたはFAXによる新刊案内をご希望の方は、ご記入下さい。	
お買い上げ日・書店名 年 月 日	市区 町村	書店

ご購読ありがとうございました。今後の出版企画の参考に
致したいと存じますので、ぜひご意見をお聞かせください。

書籍名

お買い求めの動機

1　書店で見て　　2　新聞広告（紙名　　　　　　　　　）
3　書評・新刊紹介（掲載紙名　　　　　　　　　　　　）
4　知人・同僚のすすめ　　5　上司、先生のすすめ　　6　その他

本書の装幀（カバー），デザインなどに関するご感想

1　洒落ていた　　2　めだっていた　　3　タイトルがよい
4　まあまあ　　5　よくない　　6　その他(　　　　　　　　　　　　)

本書の定価についてご意見をお聞かせください

1　高い　　2　安い　　3　手ごろ　　4　その他(　　　　　　　　　　　　)

本書についてご意見をお聞かせください

どんな出版をご希望ですか（著者、テーマなど）

化の問題』を読んで初めて、この両人の意見に納得すると同時に、西田幾多郎という人物の正体の一端をつかんだように思った。

その後数年して、知り合いになった若者が西田幾多郎ファンらしく私にこう言った。「西田幾多郎の『善の研究』っていいですね。あの真摯な学究的な態度には感心します」私は『善の研究』は途中で挫折したので、その発言に対しては意見を述べることができなかった。それで家に戻り、久しぶりにこの本を本棚から取り出し再読した。

ページを繰ってみると、学生時代に引いた赤鉛筆の線がくっきりと残っているのが見えた。今回はトラウマを払いのけ、一ページ一ページを、この哲学者と対決する姿勢で読み進んだ。果たして西田がまともなことを言っていて私の理解力が不足しているのか、それとも『日本文化の問題』で見たように、西田が捉えどころのない煙幕を張っているのか？

読了してみて、未熟な学生時代には大きな岩の如く立ちふさがって見えた西田のこの本も、30年経ってみれば何のことはない、単なる張りぼての岩でしかなかった。誇張に聞こえるかもしれないが、全ページがはったりの連続だった。例えば次のような文がある。

…されば純粋経験の事実は我々の思想のアルファであり又オメガである。要するに思惟は大なる意識体系の発展実現する過程に過ぎない。若し大なる意識統一に住して之を見れば、思惟というのも大なる一直覚の上に於ける波瀾にすぎぬのである。

右の如き状態に於いては天地唯一指、万物我と一体であるが、曩《さき》にもいった様に、一方より見れば実在体系の衝突により、一方より見ればその発展の必然的過程としての実在体系の分裂を来すようになる、即ち所謂反省なる者が起こって来なければならぬ。

このような難解な文に対して「分かりやすく言えば、結局どうなの?」と西田に問いたいと思うのは何も私だけでないはずである。はっきり言おう、この文が理解できないのは読者の知能が彼に及ばないためではない、著者、西田その人が何も分かっていないせいなのだ!

このように言うと、世間の人は「何を言っているか! 相手は日本が生んだ最高の哲学者であるぞ! お前の無理解を西田先生に押し付けるとは無礼千万な!」と怒り狂うかもしれない。そう、かの有名な『裸の王様』の童話を持ち出すまでもなく、真実を見ず、煙幕に包まれた権威だけで判断する人にとっては、西田はこの上もない権威である。そしてそれにケチをつけるなどとは正気の沙汰でない、と思うはずだ。しかし、私が西田の二冊の本を読んではっきりと分かったことは、**西田は人を難解な哲学用語で幻惑している**ということだ。学生のころに『善の研究』を読んで理解できずに頭を抱えたトラウマから30年して、私には彼の正体がようやく明らかになった。

さて、西田幾多郎を哲学者という観点から離れて彼の人間性について考えてみよう。

西田の『善の研究』が出版されるや、若き旧制高校生は競ってこの本を読み熱中した。そして西田哲学に引かれて東京から一人の俊英が京都にやってきた。その俊英とは後年、ジャーナリスティックなレトリックを華麗にちりばめた文体で一世を風靡した三木清である。

三木は西洋哲学の焼き直しにしかすぎない東大の陳腐な「井の哲」流の哲学に飽き足らず、独自の学説を打ち出していた西田に引かれてわざわざ京都にやってきたのである。三木は持ち前の才気で西田のお気に入りとなり、また当時、学生向けの出版物の著者を探していた岩波茂雄の目にかない、ドイツに留学する機会を得た。本場のドイツ哲学を仕込み、意気揚々と帰国し、アカデミズムというより文壇に論陣を張り、次々と論考を発表しては、世間の喝采を得ていた。

しかし、いつかしら三木の思想・主張は当時の政体から受け入れられなくなり、治安維持法違反の容疑で投獄されることになった。西田は弟子の三木清が収監された時に、周囲の人が躊躇するなか、敢然とその釈放に奔走したと言われている。第二次世界大戦を遂行していた当時の日本の状況からして、こうした行為は非常に危険であるが、愛弟子のためには、我が身をも省みない献身さは世情の評価するところとなった。これだけでない。西田は以前にも、同僚の京大教授の河上肇の投獄に対しても、自分にとっては何の損得もないのに、釈放を求めて運動した。西田のこうした行動から、私が彼の人としての品性を高く評価していることは付け加えておきたい。

現代日本を覆う難解哲学信仰の呪縛

哲学というのは難解な漢語だらけでないと一流の本ではないと考える**難解哲学信仰**が現在の日本には依然として根強い。なぜ難解哲学信仰がダメだと私が考えるのか、和辻哲郎の例を挙げて示そう。

和辻と言えば、文章が高校の国語の教科書に掲載されたり、大学の入試にも出題されるほど世評の高い近代日本の哲学者で思想家だ。私もずっとそのように思っていたが、ある時、彼の代表作の一つである『風土』を読んで唖然とした。率直に言って、全編がまったくのデタラメで、独善的な主張のオンパレードである。西田幾多郎と同様、和辻のこけおどしで非論理的な文句には応接の暇がない。

例えば、次のような文章がある。

○歴史は風土的歴史であり、風土は歴史的風土である…。
○孤立しつつ合一し、合一において孤立する…。

主語と述語の入れ替えを連続することで、論旨不明でありながら、あたかも重厚な思想を表現しているかのごとく見せるこの幻惑の技法は、西田譲りとも言える。

しかし、深刻な問題は文章表現ではなく、各地の文明・文化が気候に規定されるというこの本『風土』の根本命題そのものにある。例えば、砂漠の民は灼熱の気候から一神教を信ずるようになった、と説明するが、ムハンマド以前の砂漠の民は、多神教であったのだから、この説明は論理が矛盾している。砂漠の気候は必ずしも太古から一神教を生まなかったし、雨や霧が多い亜寒帯地方の北欧人も一神教を受け入れるようになったが、これは風土の差からは説明し得ない。

和辻はさらにギリシャやローマに高度な文明が発達したのは、温暖な地中海性気候のおかげだというが、世界には地中海以外にも地中海性気候の場所は多い。例えば、アメリカ西海岸の南カリフォルニア、西オーストラリア、南アフリカなどが同じような気候だ。しかし、これらの地域はヨーロッパ人が移住するまでは、高度な文明は存在しなかった。また風土が人間の物の考え方を規定するのであれば、地中海気候で発達を遂げたギリシャ・ローマ文明は、亜寒帯である北欧までは進出できないはずである。このようにちょっと考えただけでも和辻の観念論的な結論は、極めて説得性に欠けていると言わざるを得ない。

和辻は哲学者として申し分のない教育を受け、しかも大学に職を得てからヨーロッパに留学もしている。しかし、そうだからといって必ずしもいつも傾聴するに足る意見を述べていた、ということにはならない。こうした例から分かることは、**識者の言といえども権威を妄信せず**

に、自ら検証していく姿勢が哲学には何よりも求められるということだ。

哲学をするとは「自ら考えること」

私は現代の哲学がギリシャ時代にもっていた本来の姿から逸脱しつつあるという危機感を感じている。それは「西洋哲学の悲劇」といっても良いかもしれない。2500年ほど前にギリシャで哲学が発生したとき、哲学はあらゆる物事の原理を探求する行為であった。**人間が感じる「何故」に対して、権威も常識も超越した自由な発想から解答を見出す行為が哲学と呼ばれていた。**

しかし、その探求が諸科学に分化していくに従って本丸の哲学の領域が狭まり、ついには、「哲学＝形而上学＝存在論」になってしまった。存在論というのは出口のない袋小路である。感覚をベースにしか論理を展開できない我々人間には、感覚を超越した「純粋知」そのものは、論理的には探求できないはずなのだ。つまり、現在の哲学は、「解」が存在しないテーマについて間違った方法論で取り組んでいると言える。

「神とは何か？」「宇宙とはなにか？」これらは現在の我々の知覚の範囲、および思考の枠を越えた次元の話である。しかし、いわゆる哲学者たちは、この領域に対しても、まだ、通常の弁証法や論理が通用すると錯覚している。これらの手法が成果をもたらすのは、あくまでも感覚世界、および3次元的世界の話である、ということだ。そして、我々の感覚を完全に超越した存在論そのものに果たして、これらの手法が適用するのかは本当は分かっていないはずなのだ。それ故、現状の路線上でいくら探究しても永遠に解にたどりつけないことが宿命づけられている、といえる。

日常生活している上で、心がくつろぎ、安心感を得ることのできる「コンフォート・ゾーン」(快適な領域)がある。人は朝起きてから晩に寝るまでの間、朝食にはじまり、通勤、仕事上のミーティングなどいろいろなことをするが、それらが普段どおりであればストレスを感じなくて済む。

ところが、職場が変わったり、上司や同僚あるいは住居が変わると慣れないことが次々と起こり、ストレスを感じ、つい元の状態に戻りたいと思うことがある。つまり、人間というのは一面では新規性を求めるが、惰性で生きていくほうに安らぎを感じるようになっている。

思想面でも人はこのコンフォート・ゾーンに陥りやすい。大哲学者や大思想家の文章というのは、最初の内は難解な文章のために敷居が高く感じられるが、慣れてしまうとその独特の言い回しに魅了されてしまう。その状態というのは彼らの思想を理解できた、というのではなく、むしろ「表現のスマートさ」に酔いしれているという表現が当てはまる。

例えば、カントの『純粋理性批判』では先験的観念性という概念が定義されている。人は時間や空間（時空）の定義を教えてもらわなくとも生まれつき分かるようになっているという意味だ。ここで問題なのは、カントが定義した「先験的観念性」なる概念が本当に存在し得るのか、という本質的な点について考察せずに、カントの口真似をすることで自己陶酔してしまう人の多いことだ。大哲学者や大思想家の本ばかりを読んでいると、たとえ彼らが使っている用語や表現が完全に理解できていなくても自分の表現として沈着してしまう。これは自分で考えるより人の思想、表現に乗っかかるほうがコンフォート・ゾーンであるからだ。ソクラテスは人の嫌がることをしつこく追究することから嫌われて「アブ」というあだ名をつけられたのは、哲学者にとってコンフォート・ゾーンに安住することが最悪の状態であることをしつこい程に諭《さと》したかったからに他ならない。

結局のところ「哲学をする」とは、まさにこのコンフォート・ゾーンに勇気をもって決別し、「自ら考えること」に尽きる。**この意味で私は人間というハードウェアが変わらない限り、プラトンの対話編に描かれているソクラテスの問答形式での知の探究法は今後もずっと哲学の中心的な役割を果たすと思っている。**

第2章

宗教

宗教に対する疑問

宗教を知らないと世界が理解できない、という人は多い。しかし、たいていの日本人は宗教と縁遠いうえに、「宗教とは何ぞや?」「宗教と道徳、あるいは宗教と哲学はどう違うのか?」という根本的なところの理解不足のため、一体宗教の何を知らなければならないのかと悩むとだろう。さらには、世界には数多くの宗教があるが、果たしてどれが正しい宗教なのか?それぞれの信者は何を根拠に自分たちの宗教こそ正しくて、他の宗派は間違っていると判断しているのか? という疑問を持っている人も多いはずだ。

これは他人事でなく、私自身、学生時代にまさにこうした疑問を抱え悩んでいた。その時、私は次のように考えた。「それぞれの宗派には何千万人、いや何億人という信者がいるが、正しい宗教は一つだけで他の宗派は間違っているとしよう。間違った宗教を信じている信者たちはあたかも詐欺のように騙されているのだ。どの宗教が正しくて、どの宗教が間違っているか自分の眼で確かめてみよう!」と。

これ以降、私はそれぞれの宗派の経典の中の主要なものを読んだ。とりわけ、キリスト教関連については書物だけでなく、キリスト教徒と直接会って話し合う機会も設けるようにした。幸い、ドイツとアメリカに留学した時には、キリスト教徒に誘われて教会の行事などにも参加することができた。そうした経験と読書から宗教とは何かについて私が到達した結論を述べてみたい。

フォークランド紛争で悟った祈りの虚しさ

私は子供の頃から宗教（仏教やキリスト教）に疑問を感じていた。例えば、仏教では地獄には閻魔大王が居て云々、というが本当にそのようなものが存在すると言い切れるのか？　因果応報というが、それは物理法則と同じぐらい正しい（真理）のだろうか？　宗教は万人に共通の科学的真理ではなく、単なる習俗ではないだろうか？　それなら「月にはウサギがいる、いや、ガマがいる」のと同じように神や天国／地獄についての解釈が異なっても構わないのでないだろうか？このように宗教に対しては疑問だらけであった。

私の家庭は浄土真宗であったが、両親は神仏への信仰心は篤くなく、そのうえ分家であったため仏壇がな

フォークランド紛争（サッチャー英首相）
出典：https://www.historyextra.com

かったので仏教儀式に触れる機会はほとんどなかった。それで仏教や宗教全般についての私の疑問は子供のころから大学時代を通じても、ずうっと残ったままであった。そのような時、たまたま宗教（キリスト教）について私の疑問の一つを解決してくれる事件が起こった。

それは、1982年春、イギリスとアルゼンチンがフォークランド諸島を巡って戦争したことだ。当時、イギリス、アルゼンチン、両国とも自国の勝利を願って市民が教会で熱心に祈りを捧げる姿を、連日のようにテレビが放映していた。考えてみると、どちらも祈りを捧げている対象は同じイエス・キリストだ。イエスはこの2国の熱心な祈りにどう応えるのか？ 私は興味をもって推移を眺めていた。周知のように、戦争が始まるとすぐさまイギリスの圧倒的勝利で決着した。アルゼンチンの人々があれほど熱心に祈っていたのに、イエスはまったく彼らの祈りに応えてくれなかった！ 私は祈りのばかばかしさを悟った。私自身は信仰心に欠けるので、熱心に祈ることなどないが、それでも宗教心の篤い人が熱心に祈りを捧げている光景を見ると、多少は効果があるのかもしれないと心の片隅では思っていた。しかし、この事件以来、神様は人間の勝手な祈りなどにはまったく関知しないのだと確信した。

キリスト教徒の同級生から受けた衝撃

フォークランド紛争から数ヶ月して、私はアメリカへ留学した。アメリカに留学する数年前に、私はドイツへ留学していたので、本場のキリスト教徒とすでに何人とも話をする機会を得ていた。彼らは、私がキリスト教を信仰していないことを知りつつも、親切に家に招いてくれたり、キリスト教の集会へ誘ってくれた。キリスト教徒の実態を知るのに良い機会なので、いつも喜んで参加した。私が、キリスト教に関するいじわるな質問をぶつけても決して不機嫌になったり、怒ったりすることなく受け止めてくれた（あるいは、単に聞き流していただけかもしれないが）。しかし、そうした彼らの親切な対応ぶりは、逆に私の疑問を募らせるだけだった。

ところが、アメリカに留学時、親しくなったアメリカ人の同級生だけは違った。彼とはコンピュータの授業で二人一組のチームを組んで、課題をこなした。議論では常に理路整然と話し、コンピュータに関しての知識や課題解決能力は高かった。私は彼を非常に信頼していた。課題が無事終わって数日後、彼の家に招かれて食事をしていた。その時たまたまキリスト教の話になった。それまで彼がキリスト教信者であると知っていたが、ドイツでも経験があるので、一般のキリスト教徒であろうと勝手に推測し、いつもの調子で「マリアの処女懐胎やイエスの復活はこっけいなことだよな」と茶化して言うと、突然むきになって反論してきた。その異様な激しさに驚いた。そこから小一時間、議論したが、最後まで彼は「マリアの処女懐胎やイエスの復活は実際にあったことで、自分はそれを信じている」と頑強につっぱねた。あとから調べて分かったのだが、キリスト教徒とは「使徒信条」を認めないといけないのだが、その中にこの二つの条項が入っている。つまり、本物のキリスト教徒であれば、この二つを絶対に否定する訳にはいかないのだ。

それにしても、彼との議論で感じたのは、本来理性的で、数学的証明、法律解釈などを論理的に理解できる人でもキリスト教徒になった途端、聖書に内在する誤謬を理論的に解明できなくなってしまうということだった。一旦、キリスト教（だけでなく、一般的に宗教）に染まってしまうと、冷静な理性が完全にメンタルブロックされてしまうという恐ろしさを私は痛感した。

蚤のサーカス師と蚤のジャンプ

理性がメンタルブロックされてしまうことを皮肉った次のような小話がある。

ヨーロッパには、蚤を飼い慣らして芸を仕込みむ蚤のサーカス師がいた。訓練された蚤は、「飛べ」と言われると、すぐに飛ぶ。そこで、蚤のサーカス師は蚤の脚を2本ずつ取った。脚を2本、4本取った時は飛んでいたが、とうとう6本とも取ってしまったら「飛べ」と命令しても飛ばなくなった。蚤のサーカス師は怒って「こいつは耳が聞こえなくなった」と叫んだ。

誰が考えても、この推論はおかしいと分かる。耳が聞こえなくなったのではなく、足が無くなったので飛べなくなってしまったのだ。しかし、メンタルブロックにかかってしまうと、このような間違った推論を平気でするようになるという喩えだ。

神の存在は証明できない

オウム真理教事件を持ち出すまでもなく、人並以上の理性を持った人間でもメンタルブロックにかかる。特に、神や来世など、超自然現象に関してはその傾向が強い。いまや、火星人が存在しないことは誰でも知っている。それで、火星人に関する話題（例えば、どのような姿をしているとか、どうやって生活しているか）についてまともに議論しようとする人はいない。しかし、数十年ほど前、まだ私が子供の頃はそうではなかった。科学者たちが、まじめに火星人の存在やその姿、行動について論じていた。ただ、これらの議論はどれ一つとして決着を見ることがなかった。なぜなら、誰も火星人を確かめたことがなかったからだ。

そもそもカントが『純粋理性批判』で説明したように五感で知覚できないものは認識しようがないのである。この論理を援用すると、我々人間が見たこともなく、触れたこともない神について議論するのは、火星人について議論する愚と何ら変わるところがない、と言えないだろうか。

無神論者がイスラム教信者と議論すると…

神の存在を信じない人は無神論者（atheist）と呼ばれる。ヨーロッパでは無神論者とは凶悪犯人と同じような類《たぐい》のろくでなしと見られた。私がドイツに留学した1970年代では「ヨーロッパで宗教は？　と聞かれたら、仏教徒と答えなさい。正直に宗教は信じていません、と答えたら、この人は信用のできない人だ、と疑惑の目で見られますから」と注意された。大抵の日本人は宗教というのは意識していないし、実践もしていない。つまり神の存在を意識していない。これは、キリスト教徒やイスラム教徒の観点から言えば立派な無神論者である。

もっとも、無神論者というのは神の存在を否定しているため、とげとげしくなるので、すこし柔らかく「神は存在するかもしれないが、我々人間にはその存在や機能は理解できない」という言い方もある。こういう人は不可知論者（agnostic）といわれる。実際、フランス革命以降、フランスではキリスト教の教義に対して否定的にとらえる人が多くなったといわれる。

最近では、欧米においては無神論者も昔ほどは嫌悪されないようだが、それでもやはり無神論者と名乗る（カミングアウト）には勇気がいるようだ。それで、自分は無神論者だと堂々と主張する人は、ほとんど例外なく論理的で雄弁な人が多い。YouTube を見るとそういった無神論者の欧米人がキリスト教の司祭あるいはイスラム教徒とまじめに議論している動画がかなりアップされている。

　とりわけ、イギリスの生物学者のリチャード・ドーキンスは『利己的な遺伝子』などで世界的なベストセラー作家であるだけに、討論の場によく登場する。その一つのビデオに、新進気鋭のイスラムのジャーナリストと行った白熱の議論は、イスラム教徒ならではの信仰の絶対性がよく分かる非常に良い内容だ。是非、次の動画を見て、世界的レベルで宗教観の差を理解して欲しい。宗教に関して、このような真剣で深い議論は残念ながら、日本ではまだできないでいる。

　Dawkims on religion https://www.youtube.com/watch?v=U0Xn60Zw03A

リチャード・ドーキンス(左)とイスラム教徒の白熱した討論会
出典：https://www.youtube.com

馬が描く神様は馬顔

昔から神の姿はいろいろと絵画に描かれたり、彫刻に彫られたりしてきた。だが、未だかつて誰も神を見た人はいないはずなのに、神の像は一体どのように考えられてきたのだろうか？

ユダヤ教やイスラム教などの一部の宗教を除き、大抵の宗教は神の像を祭っているが、その姿は人間の形を取っている。（もっとも、キリスト教では逆に人間が神の似姿であるといわれているが。）しかし、神の立場から見れば、このような意見は滑稽だと指摘した賢人が古代のギリシャにいた。その名をクセノファネス（クセノパネス）といい、至って謙虚な性格だった。謙虚であると言っても、世の中の迷い事を批判する舌鋒は鋭い。神の姿について人々が勝手に決めているのはばかばかしいとして、次のような警句を放っている。

エチオピア人は神々の鼻はぺちゃんこで肌は黒いと言う。一方、北方のサラキア人（ブルガリア人）は、神々は青い眼で金髪だと言う。

つまり、神はそれぞれの部族と同じ姿をしているということだ。これは妄想以外の何ものでもないと、笑い飛ばせるが、クセノファネスは問題の核心をさらに次のようにえぐる。

もし牛や馬、ライオンに手があって人間と同じように絵を書いたり彫刻をしたりすることができるなら、馬が描く神々は馬の恰好をしているだろう。

これは、各部族が神々を自分たちと同じ姿であると考えるのと同じように動物たちも神々が自分たちと同じ姿形をしていると考えるだろうという指摘だ。批判的精神旺盛のクセノファネスは人間が勝手に、神というありもしない幻像をでっち上げ、その性格や姿形についてやかましく議論しているが、まったくばかばかしいことだと皮肉っている。

そもそも神は、なぜ人間と同じ形をしているのだろうか？ 人間には視覚、聴覚、触覚など外界と接触するための器官を必要とするが、神は何のためにこれらを必要とするだろうか？ 例えば眼に関して言えば、神様は千里眼という心眼を持っているので、物理的な眼など必要ないのではなかろうか？ それだけでなく、歴史を読むと、神が夢でおつげに出てくる時には、必ず服を着ている。それもその服や髪型は一通りではなく、時代時代のものである。つまり神様は意外と流行モードやファッションにも敏感で、かつ、気配りをされるお方なのだ。そうすると、神様が住むと言われている天国には数多くの着替え服をしまっておく洋服箪笥が山とあるはずだ！ それに、日本の神様は和服を召しておられるので、和箪笥もいくつかあるに違いない！

冗談はさておき、人間が現在の人の形をしだしたのはせいぜい250万年にしか過ぎないことを考えると、神はそこまではどういった姿をしていたのだろうか？　当初、人間はサルと同様裸であったはずであるから、神も裸であったはず、と考えるのが自然だ。そうすると、当時は神様の洋服箪笥はまだ作られていなかったことになる。一方、未来を考えてみると、今から100万年や200万年たつと、現在の人類が旧型人類と言われる時がくるのは、過去の人類の身体的発展から考えて、必然である。未来の人間が、例えば、頭でっかちであったとしたら、神も頭でっかちになってしまうのだろうか？

神様の姿や服装についてあるキリスト教徒と話をしたところ、「神聖な神様を茶化さないで！」と怒ってきた。宗教とは元来、人の迷妄を啓《ひら》き、全き生き方を教えるものである。やみくもに何かをありがたがって信仰すればよいというものでないはずだ。

信仰対象を完全に理解しようとすれば、疑問がいくつも湧いてくる。例えば、キリスト教では、最後の審判の時、死体に肉がついて甦るというが、物が言えない内に死んでしまった赤子や、アルツハイマーとなって死んだ老人、はたまた餓死で骨と皮だけになって死んだ人は、一体どのレベルで復活するのであろうか？　あるいは、戦争や犯罪で脳が潰された人は？　すぐに死なずに植物人間の状態で生きていたとしたら、その間の記憶などはどう評価するのか？

このように、**最後の審判で行われる状態をリアルに想像すれば、分からないことだらけだ。**

私は、昔、キリスト教徒にかぎらず、仏教徒でもともかく宗教心を持っている人にこういった疑問をしきりにぶつけて、宗教の本質について真剣に議論しようとしたが、宗教人の多くははぐらかすか、あるいは「神聖領域は犯すべからず」と議論することを拒否したり怒ってきた。**宗教人と議論すると至るところでガラスの天井にぶつかる。**こういった経験から、宗教人と宗教についてまともに議論することはできないと悟るに至った。

聖書には何が書かれているのか？

ドイツとアメリカに留学し、現地のキリスト教徒と話をして行くうちに抱いた大きな疑問の一つが三位一体（Trinity）だ。三位一体とは、神、聖霊、イエス、の三人（ペルソナ）の実態は一つであり、単に現れ方が三様である、という説だ。キリスト教徒と話をしているとよくこの言葉が出てくるが、聖書をざっと読んでもそのような箇所が見つからなかった。私の読み方が悪いせいで、見落としているかもしれないと思い、一度、聖書全体をじっくりと通読したが、やはり三位一体は見つからなかった。しかし、聖書をしっかり読んだおかげで、キリスト教についてよく理解できた半面、またぞろ教会や信者に対する新たな感想や疑問がいくつか湧き起こってきたが、結局、新約聖書には神の属性が合理的には説明されていないし、三位一体についての記述も見つからなかった。ということは、現在のキリスト教神学はイエスの教えではないということだ。では、一体だれが何のためにこのような神学理論を構築したのか？

結論だけをかいつまんで述べると、古代ギリシャ哲学、とりわけアリストテレスの形而上学と自然学の記述をベースに、これまたアリストテレスが完成した論理学を使って、古代ギリシャの教父がキリスト教神学の基礎を作った。さらに、アリストテレスの形而上学を発展させたイスラムの哲学者たちの神学理論が中世後半に西欧に流入し、西欧のスコラ哲学に大きな影響を与えた。最終的に中世最大のスコラ学者のトマス・アクィナスがこれらを集大成してキリスト教神学が完成した。

つまり、現在キリスト教の教会でとくとくと述べられているキリスト教解釈の半分以上はギリシャ哲学ということになる。とりわけ神が全能であり、唯一であり、慈愛にあふれる存在などという理論づけは、プラトンやアリストテレスの哲学なしにはできなかったはずだ。

しかし、神は宇宙の創造主と主張するが、その同じ神が果たして普段、人間や動物、自然現象を司る主体と同じである、という証明は聖書には一切されていない。トマスにしても、単に神は全能であるから宇宙の創造もできれば、自然現象も司ることができるはずだ、との仮説から、この二つの存在は同一の主体になければならないと主張しているに過ぎない。このような主張は、以前、火星人が存在していると信じられた時に述べられていたことと同じ論調で、怪しいことおびただしい。

質素を尊んだイエス、豪華を尊ぶキリスト教会

さて、聖書をじっくり読むことで、教義に関する疑問はさらに深まった。更に、ヨーロッパ各地を旅行すると別の疑問が湧いてきた。それは、ヨーロッパの都市には必ず壮大な大伽藍（カテドラル）が威容を誇り、街はずれには城塞かと見まちがえるばかりに堅牢で宏荘《こうそう》な修道院が聳え立っていることだ。外観だけに止まらず、カテドラル内部の絢爛豪華さには圧倒される。これらを目にすると「キリスト教は何と派手なことが好きな宗教だ」と、誰しも思ってしまうことだろう。

しかし、イエスの本来の教えはまったく逆であった。キリスト教は元来、質素を尊び、あらゆる贅沢を禁じていた。マタイ伝には、

富んでいる者が神の国に入るよりは、ラクダが針の穴を通るほうがもっとやさしい。

とある。しかるに、中世になって教会に富が集中するに従って、建築、絵画、音楽、装飾など、すべての面において豪奢を極めるようになった。そういった贅沢な風潮を嫌い、アッシジのフランチェスコなどはキリスト教の原点である「清貧」を標榜（モットー）し、托鉢修道会

を創設した。とはいえ時代とともに修道院ですら、現在見られるような質素とは程遠い様相を呈している。

しかしなぜ、現在のキリスト教の教会がイエスの教えに反するようになったのであろうか？キリスト教が普及する以前のヨーロッパの歴史を遡ってみるとその原因が朧げながら見えてくる。かつて、ヨーロッパの各地に住んでいたと言われるケルト人が作ったケルト美術は金をふんだんに使ったたいへん煌びやかなものだ。また、地中海を制覇したギリシャ・ローマの建築物を見ても分かるように、ヨーロッパ人は文様（デザイン）にしても、建築物にしても元来、華美（ゴージャス）なものが好きだった。清貧を尊ぶキリスト教を受け入れた時には、アニミズムや多神教とともに、そういった土着の華美な習俗を一度はきっぱりとすて去った。しかし、キリスト教がローマ帝国の国家宗教となってから、次第に土着のヨーロッパ人の感性がキリスト教の本体部分を変えていった。

豪華を極め尽くしたカトリックに反対してプロテスタントはイエスの教えそのもの、つまり聖書、に戻れと、盛んに清貧を唱道した。同じキリスト教といっても、カトリックとプロテスタントは生き方に大きな考えの差がある。マックス・ウェーバーは『プロテスタンティズムの倫理と資本主義の精神』でその差を次のように表現した。

プロテスタントは進んでうまいものを食おうとする。つまりそれは積極的な姿勢であるが、カトリックは寝て暮らそうとする。つまりそれは苦労するよりは安逸を求む姿勢だ。

現在のヨーロッパのカトリック国とプロテスタントの国々を比べてみると、この意見には説得性がある。しかし、こうした国々の差を宗教観に帰着させるのが本当に正しいのであろうか、と私は疑問に感じる。というのは、勤勉な北ヨーロッパ人、享楽的な南ヨーロッパ人と形容されるその差は、キリスト教の普及以前から続く土着的なものではなかろうか、と考えるからだ。

土着的という言い方は、ヨーロッパだと分かりにくいかもしれないので、アジアの宗教差について考えてみよう。宗教的にみると、日本が大乗仏教であるのに対して、東南アジアは上座部仏教（以前、小乗仏教と呼んでいた）である。マックス・ウェーバー流にいうと、「大乗仏教徒は勤勉で、上座部仏教徒は安逸を好む」ということになる。誰でも分かるように日本人と東南アジア人の差をこのように仏教の宗派の差に帰着させるのは間違っていると言えよう。

結局、日本において仏教が神道と習合したように、キリスト教もヨーロッパ土着の習俗（例：クリスマス、イースター、聖人崇拝など）を取り入れることで、砂漠が広がる乾燥地帯の宗教であったにも拘わらず、大部分が緑豊かな湿潤地帯であるヨーロッパに広まった。つまり、キリスト教以前に各地域にあった土着の習俗が、未だに大きな影響を与えているということだ。

宗教を考えるとき、教義という形而上の概念だけで考えるのではなく、何千年、何万年にわたってその土地にしみついた土着の習俗というウェットなものも併せてみる必要がある。ついでに言うと、ユダヤ教やイスラムのような一神教が出てきたのは砂漠であったからだ、という説を唱えるひとは多いが、これは正しくない。というのは、第一、砂漠が多い中東に人類は何万年も前から住んでいるにも拘わらず、ユダヤ教が興ったのはせいぜい4000年前だし、イスラムが興ったのは高々1500年前だ。すなわち、砂漠に住みながら一神教なしに何万年も暮らしていたということだ。さらに、世界中に砂漠地帯は至るところにあるが（例えば、サハラ砂漠、ナミブ砂漠、タクラマカン砂漠、アタカマ砂漠、アメリカ南西部のアリゾナ一帯の砂漠やオーストラリアの砂漠など）、中東以外の地域ではどこからも一神教は生まれなかったからである。これは和辻哲郎が『風土』という著書で犯したのと同じ過ちで、人々の思想は気候ではなく、民族の気質に大きく影響されるということだ。

中世のキリスト教とアリストテレス哲学

ヨーロッパ中世は哲学と宗教のどちらの分野でもスコラ哲学が重要な位置を占める。スコラ哲学を理解していないと中世ヨーロッパは理解できない。さらにはイエスが唱えた素朴なキリスト教がどうして現在のような精緻な神学理論で塗り固められてしまったのかも理解できない。それ故、キリスト教を理解するにはスコラ哲学の少なくとも要点を理解しておく必要がある。

そもそもキリスト教がローマ帝国の国教になったのが4世紀前半であった。その後、一時期、皇帝・ユリアヌス（背教者）による弾圧があったが異民族によるローマ帝国の分裂など、社会混乱は続いたものの、6世紀以降、着実にヨーロッパに広まった。この時期は日本の仏教とほぼ同じだ。それから14、15世紀にルネッサンスが始まるまでの1000年にもわたる中世はキリスト教が地中海から北海に至るまでの広大な地域を支配したといって過言でないが、教義の点から考えると、逆にシリア、エジプト、北アフリカの地域からの影響を強く受けたと言える。

三位一体もそうだが、元来、質素を旨としたキリスト教の素朴な教えに付け加えられた神学者が好みそうな教義上の議論は、すべてヘレニズム文明からの輸入であった。これらの教義は、ギリシャ文明、とりわけギリシャ哲学の素養を十分に持っていた教父たちによって唱えられた。その後、中世の修道院に継承され、教義はますます精緻化された。その教義には大きくわけて、二つの流派がある。一つは、プロティノスが始め、アウグスティヌスが確立したネオプラトニズム（新プラトン主義）に立脚した神学と、中世になってビザンティンやイスラムから輸入されたアリストテレス神学をベースとしてトマスによって大成された神学だ。

中世スコラ哲学を理解しようとすれば、アリストテレス哲学の理解は避けて通れない。

そもそも宗教（ユダヤ教、キリスト教、イスラム）になぜ哲学が必要なのだろうか？　それは、聖書の記述を論理的に理解するためだ。さらに言えば、聖書の中には常識では理解し難いような記述があるが、それを信者が納得できるよう、論理的に説明する必要がある。例えば、旧約聖書には神は一つで、かつ全知全能で永遠不滅であることが断言されているが、その論理的説明が必要だ。また、キリスト教やイスラムでは最後の審判があり、そこではすべての魂が呼び戻されて、一人ずつ審判が下されることになっている。そうすれば、死んだあとの魂はどういう状態でいるのかの説明も必要だ。聖書にはこれらの事柄に関して論理的な説明は一切ない。数学で言えば、証明なしで公式がずらずらと書かれているようなものだ。

アリストテレスは、ユダヤ教は知らなかっただろうし、ましてやイエスがまだ生まれていなかったので、キリスト教などはまったく関知しないが、神（宇宙の創造主であり万物の生成を司る）や魂のありかた、さらに物の存在論（オントロジー）などについては、数多くの緻密な論理的記述がある。

キリスト教の神学者たちにとって、聖書に書かれていること（結論）は真理であるので、論理を正しく積み重ねれば、必ず証明されるはずと考えた。それで、アリストテレスの論述を使い聖書の記述の論理的な整合性を取ることに執念を燃やしたのが中世のスコラ哲学であり、ついに成功したと喜んだ。

もっとも、アリストテレスは昔から万学の祖として尊敬されているが、アリストテレスの自然学の観点の説明は現代的観点からいえば、まったく箸にも棒にもかからない「ガラクタ理論」ばかりである。私がこのことを知ったのは、ある時、アリストテレスの宇宙論に関して疑問を持ったので、彼の著作の内、一部の論理学と動物学を除いて、ほぼすべてを読んだからだ。それも、元々どういう表現をしているのかという点も知りたくて、Ｌｏｅｂ叢書のギリシャ語・英語の対訳本で読んだ。動物学はさすがに評判どおり素晴らしい内容だったが、宇宙論や物理学は虚妄だらけだった。たとえば「重いものほど早く落ちる」と得意げに主張するが、後年、ガリレオ・ガリレイが簡単な実験で反証した。ガリレオ以前に何人も反証したのであろうが、名前が残っていないだけの話だろう。

さらに極め付けは、これもガリレオ・ガリレイが関連するが、「地球は宇宙の中心にあって不動な存在だ」とあたかも幾何学の証明問題のように、アリストテレスは精緻な論理を組み立てて、自信満々にきちんと証明してみせたことだ。アリストテレスが古代から中世にかけて評価された一端は彼の論理の緻密性にある。しかし、**前提や想定が間違っているので、論理自身がいくら緻密であっても哀しいかな、正しい結論には至ることはなかった。**

アリストテレスの論述をベースにして、中世スコラ哲学の頂点に立つのがトマス・アクィナスの『神学大全』だ。この書にはキリスト神学上のありとあらゆる疑問に対してトマスの回答が載せられている。例えば、「神は至るところに存在するか」「神は永遠であるか」「神には悪の意志があるか」など。トマスの回答の特徴は聖書や教父たちの著作からの膨大な引用と証明の論理の緻密さにある。中央公論の世界の名著『トマス・アクィナス』には、数多くの疑問に対して実に４００ページにもわたって回答が書かれているがそれでも全体のごく一部である。結局、ヨーロッパの宗教（や哲学）を理解しようとすれば必ずこの『神学大全』にぶつかる。

トマスの考え方や論理はそれなりに理解できるものの、私は更に詳しく探求しようという気になれない。その理由を喩え話で説明すると次のようになる。

ここに数百年も前の古い地図があったとしよう。当然のことながら、昔の測量技術は未熟なので、地形や方角が間違っている。このようなまったく実用にならない地図を研究する人がいるが、それは現在のためではなく、当時の人々が世界をどのように認識していたかを知るためだ。研究成果は、研究者にとって重要であっても一般人には、時間をかけてまで詳細に調べる価値がないのは明らかだ。

私にとってのトマスに代表されるスコラ哲学とはまさにそのようなものだ。中世のヨーロッパ人にとって何が問題で、どのような意見を持っていたかの大枠を知るまではかなり調べ、ようやく輪郭をつかんだが、これ以上深入りする気にはなれないテーマであると悟った。

私は今までかなり多くの宗教関連の本を読んできたが、結局どの宗教にしても、来世、天国・地獄、不幸／幸福の原因、行いに対する報い、などについての説明には納得できないでいる。トマスのように論理的にいくら緻密に説明したとしても、所詮はアリストテレスが犯した誤謬と同じく、確証のない前提から出発して間違った結論にたどり着いたに過ぎない。

キリスト教はヨーロッパの根幹思想にあらず

ヨーロッパは5世紀に始まる中世から近世、近代に至るまで一貫してキリスト教が社会的に大きな役割を担ってきた。キリスト教なくして、欧米の文化が分からないと考えるのも無理はない。しかし、現代のヨーロッパではキリスト教自体の影響力は低下し、教会に行く信者が非常に少なくなっているという。

２０１４年から２０１６年にかけて調査された結果が最近発表されたが、その報告書によると、かなり多くの人が非キリスト教徒だという。とりわけプロテスタントの国ではその傾向が顕著だ。例えば、チェコでは9割もの人が信仰を持たず、スウェーデンやオランダでも7割を超える。またカトリック国はと言えば、フランスでは信仰を持たない人は6割を超えるが、伝統的にカトリックの力が非常に強いポーランドでは信仰を持たない割合はわずか2割程度と、国によってかなり差がみられる。

いずれにせよ、大部分のヨーロッパの国々ではキリスト教はもはや文化の根幹部分・社会基盤ではない。しかし、外から見ている限り、我々にはヨーロッパの根幹部分はまったく変わっていないように見える。つまり、キリスト教を信仰する人が減少してもヨーロッパにはヨーロッパ的精神が息づいている。こうしたことからキリスト教はヨーロッパの根幹部分でないと結論づけることができる。キリスト教徒が減少し続けているにも拘わらずヨーロッパが未だにキリスト教精神が残っているとしたら、それはキリスト教という宗教ではない。というのは、宗教は定義上、信仰を必須とするからである。

結局、キリスト教の信者が少なくなっても、ヨーロッパが宗教的に対立するギリシャ正教、カトリック、プロテスタント、英国教会、ユダヤなどをまとめることができ、ヨーロッパとして統一性を保っていられるのは、ギリシャ・ローマ精神のおかげということになる。こうした意味で、ヨーロッパ人（およびアメリカ）の思考のベースはキリスト教という宗教である、と考えるのではヨーロッパ（およびアメリカ）の本質を見失ってしまう。

現代ドイツの気鋭の哲学者、フィリップ・ヒューブル（Philipp Hübl）は次のように述べる。「**民主主義、思想の自由、男女の平等などの概念は聖書から来たのではなく、古代ギリシャ・ローマに淵源を持つ人文主義（ヒューマニズム）や啓蒙主義に由来する**」、と。同様の意見は、フランスの中世史家のジャック・ル＝ゴフからも聞かれる。ヨーロッパの中世では他人への憐憫はなく、困っていても他人の面倒をみなかった、というのだが、こういった態度は明らかにキリスト教的ヒューマニズムに反する。

このことから判断すると、近世ヨーロッパに公共性や社会福祉が現れたのは、ギリシャ・ローマの人文主義文明が復活したルネッサンス以降と考えられる。ついでに言えば、日本人がよく口にする「欧米ではキリスト教が教える神との契約の概念が市民生活にまで影響を与えている」というのは、何もキリスト教のお陰ではなく、ローマ帝国内に流布していたローマ法の契約概念が広まったにすぎない、という点も指摘しておきたい。

民族固有の習俗と宗教の儀式

キリスト教では、ワインはイエスの血、パンはイエスの肉体とみなされるので、ワインを飲むことはイエスと一体になるとの意味で推奨される。しかし、イスラムやヒンドゥー教ではアルコール類は神に対するとんでもない冒涜行為とみなされる。アルコール一つをとっても宗教によってまったく正反対の立場だ。また、日本では、生贄を捧げる習慣はないが、ユダヤ教やイスラム教では子羊を神に捧げ、実際に喉を掻き切って殺す。そうすることが神に気にいられる宗教的儀式とみなされる。このように、宗教の儀式は合理的に考えて正しいかどうかというより、その土地土地で各民族が伝統的に持っていた固有の習俗に則っているかどうかということになる。

そもそもキリスト教が一神教だといってもヨーロッパに暮らしてみるとどうも多神教的雰囲気を感じる。その理由は、聖母マリア信仰はいうまでもないが、聖人にちなむ祭日が極めて多いことだ（例：聖パトリック、聖マルティヌス、聖ステファノ、聖ブリギッドなど）。

確かに、信仰する神はただ一人であるかもしれないが、神の分身のような聖マリアや聖人など、信仰する対象を複数つくり、それぞれが神以外に自分の好きな聖人を崇拝している。中世では聖人信仰が最高潮だったようだが、宗教改革でようやく下火になった。聖人信仰の理由を考えるに、ギリシャやローマはいうまでもなく、本来は多神教であったヨーロッパの先住民族（ケルト族やゲルマン族など）は、一神教のキリスト教に宗旨替えをしたものの、やはり古来の伝統である「多神崇拝」を捨てきれなかったのではないだろうか。おおっぴらに他の神を信仰するのが憚られるので、ずる賢く、神という名ではなく「聖人」という名のもとに伝統的な信仰を維持したのではなかろうか？

つまり、宗教で決められている規則や、善悪の基準には絶対的真理というより、単に固有の習俗を引き継いだものが多くあるということだ。例えば、インドに行って誰もが街中を悠然と歩く牛の多さに驚く。インドでは牛は聖獣とみなされているので、殴って追い立てたりせず大切に扱う。牛の糞ですら神聖なものとみなされ、牛の糞を塗ると体が浄められると考えている。このように、「浄・不浄」「綺麗・汚い」という基準が我々とインドでは大きく異なる。総じてインドでは、物事はすべて「浄・不浄」で区別される。不浄なものとしては、血・死体・膿・大便・小便などがあり、それに触れる職業はすべて賤しまれる。インドでは医者さえも伝統的価値観に従えば、賤しい職業なのだ。従って、インドの宗教の価値観を合理的基準で理解しようとしても不可能だと言えよう。

そのようなインドを発祥とする仏教は当然、日本人の価値観とは異なる。例えば、日本人の連想する仏教というのは、仏壇や先祖代々の墓などであるが、元来インドの文化風土から出た仏教はインドの宗教が共通にもっている輪廻転生のドグマが根底にある。輪廻転生とは、生けとし生ける者は、悟りを得ない限り、永劫に生と死を経巡るという考えだ。それ故、生も一時、死もまた一時なのだと考え、死をさほど重要視しない。

その差が一番わかるのは、火葬の場面であろう。日本の仏教観からみると、インド・バラナシ（ヴァーラーナシー）のガンジス河畔で火葬にされた遺体がガンジス河にそのまま流されるのは何とも理解しがたい。それだけでなく、火葬したあとに残った遺骨は散布するので、故人の肉体にまつわるものは何も残らない。それで、インドでは、一部の特殊な聖人を除いて一般人には墓や位牌を持つという習わしがない。つまり、日本の仏教で重要視される骨拾いや、墓、あるいは位牌などは本場インドでは存在してこなかったのである。

儒教は日本に根付いていない

とすれば、日本の墓や位牌はどこから来たのであろうか？　日本の葬式にまつわる習俗は、仏教が中国に入ってから儒教の先祖崇拝の様式を取り入れたもので、日本にはインド本来の仏教ではなく中国化された仏教が伝播されたのである。インド人は、死後に何も残らないのが良いと考えているわけだが、中国人は逆に子孫が先祖を敬うことが良いと考えている。

そこで、この儒教の宗教性について考えてみよう。日本仏教が本場のものと大きく変わっているのと同様、日本人が考える儒教は本場の儒教とは大きく異なる。

中国の伝統的な宗教といえば、儒教と道教と言える。確かに仏教は中国に紀元前後に中央アジアから伝来してから、国の隅々まで広まり、その文化遺産は今も見ることができる。一時期、中国仏教は王侯貴族の熱烈な支持を受け、寺域も拡大したが、何度か大弾圧を受け、結果的には儒教と道教に押されて見る影がなくなった。儒教の根強さと仏教のもろさを考えてみると、結局、仏教のもつ脱世俗性が、この世を重んじ、先祖を大切にする中国人には受け入れがたかったということができる。

日本では儒教というと「道徳的な教え」と理解されているが、儒教にも宗教性はある。そもそも儒教には倫理、政治理論、そして宗教の三つの側面があるが、日本には宗教としての儒教は殆ど入って来ていないので、日本人は儒教とは宗教ではなく、道徳・倫理であると理解しているだけの話だ。実際、中国では儒教は、葬式も含め宗教の要素が非常に強い。そもそも古代中国では、儒教徒は葬儀屋を生業《なりわい》としていたのだが、日本では江戸時代の儒学者ですら儒式の葬儀をしない場合がほとんどだった。仏教と異なり、儒教では火葬はしない。その上、先祖とのつながりを大切にする儒教徒は、遺体を立派な木で作った高価な棺桶に入れ、先祖の故郷まで運んでいって埋葬するのが本式だった。このように手間のかかることをするのが、宗教としての儒教では要求された。故郷へ棺桶を運んで帰るだけでも相当な費用がかかるが、更に出費がかさむのが死人の口の中にいれる「珠《たま》」だった。今でいうと高価なダイヤモンドを買って、口の中に入れて土葬するようなものだ。**結局、儒教とは「生きている人よりも死んだ人を大切にする」のが根本的な考えである。**たとえ生き残った者が貧乏になろうとも葬礼は豪華にせよ、と強制したのが儒教だった。墨子はこのような儒教の厚葬に反対したが、一時的には多くの賛同者を集めたものの結局は中国において厚葬の習慣は無くならなかった。

ところで、江戸時代初期に、徳川家康が朱子学を導入してから、日本に儒教が広まったと言われるが、日本には儒教は根付かなかったと私は考えている。その理由は儒教に関する「祭り」が日本には見当たらないからである。日本の祭りを正月から除夜の鐘までを調べてみると、儒教に関する国民的な祭りは何一つ存在していないことが分かる。

一方、仏教の祭りとしては盆踊りや4月8日の釈迦生誕の日などがある。神道の祭りに至っては、一年を通して各地で盛んに開催される。これら以外に中国の宮廷から伝わってきた年中行事があり、ひな祭りなどはそういった宮中の年中行事が民間に広がったものだ。結局、年中行事の一部を除き、日本の祭りのどこにも儒教色はない。仏教にも神道にも祭りはある。しかし儒教には祭りはない。これで果たして儒教が日本に定着したと言えるのだろうか？　儒教は確かに学問、儒学、として広まったかもしれないが、日本人の心の中に住み着くものではなかった。いわば、いつまでたっても客人であったというのが、日本人の儒教観なのだ。

宗教の開祖と宗教団体は別物

ここで宗教を教義ではなく宗教団体という観点から考えてみよう。現在、数多くの信者を持つ宗教はヒンズー教や神道などを除いて、たいてい開祖がいる。開祖の教えを受け継いだ宗教団体（教団）が普及に当たる。しかし、開祖と宗教はまったく別の意図と目的を持っていると認識しておくことは重要だろう。というのは宗教について議論をすると、たいていの場合どうも咬み合わないのはお互いに立脚点を明らかにせず、無意識のうちに相手も自分と同じ立脚点にいると思い込んで話をしていることが多いからだ。そうした議論は、時間の無駄だけでなく、いくら時間をかけても進展はない。そこで、宗教と開祖を「個人vs.団体」と「私的vs.公的」の二つの軸で整理してみることにしよう。

どの宗教も、開祖が唱えた頃は、「個人的で私的」な範囲に対応することを目的としてきた。しかし時を経て宗教となると「公的な団体」と移行する。その推移の過程で開祖が目指したものはそのまま宗教団体に温存されるのだろうか？　各宗教に見られる偶像崇拝や儀式などは、開祖が指示して行わせたものだろうか？

推移の過程において、組織内の権力闘争に勝ち抜いた人がトップに就く。「公的な団体」と

宗教の創始者と宗教団体

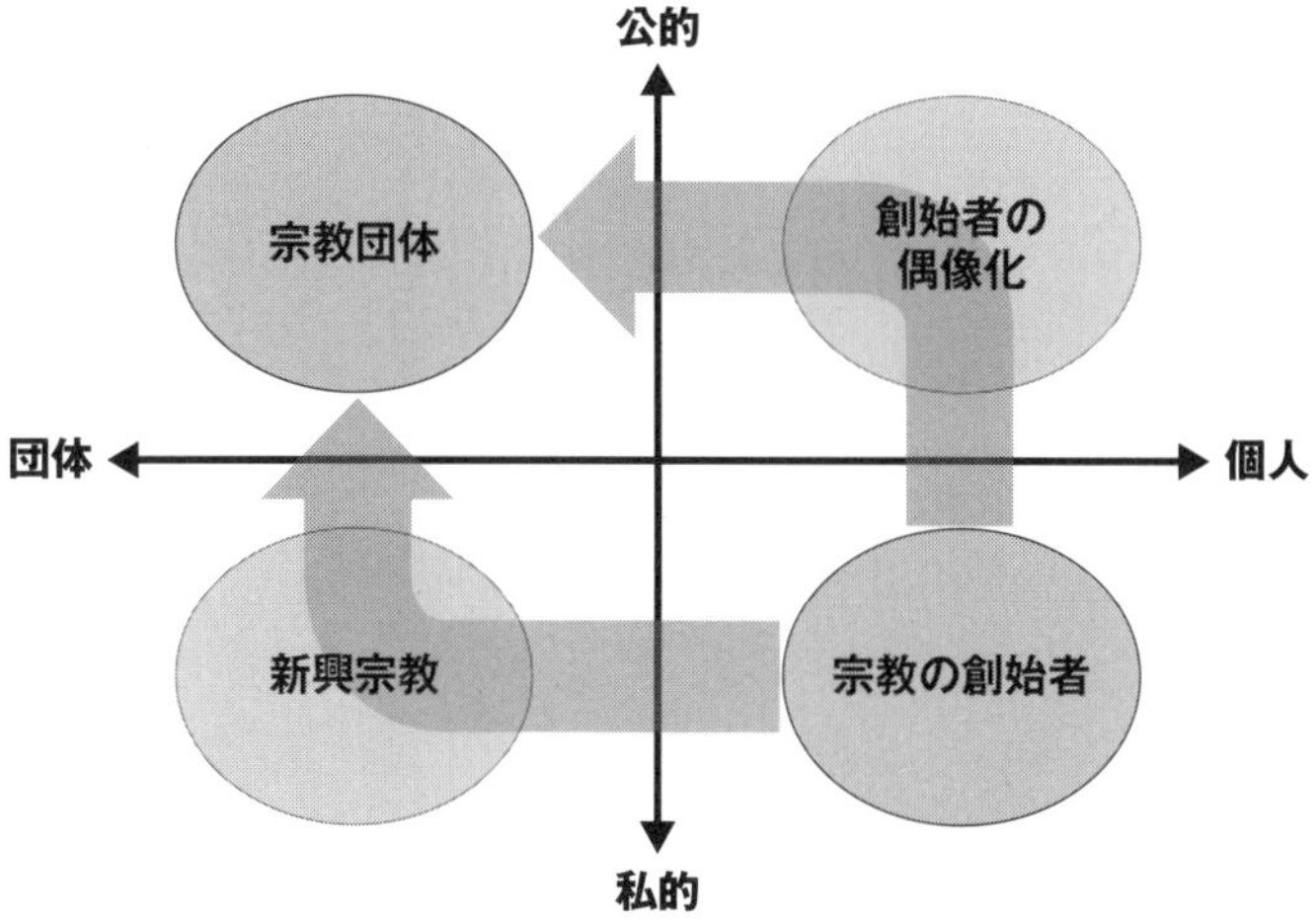

しての宗教は、開祖の頃の「個人的で私的」なものとは名目は同じでも実質はまったく別物になっている。つまり、宗教の開祖（創始者）と宗教団体はまったくその意図・目的を異にするということだ。宗教団体というのは、団体を縛る規範、要は団体色によって強烈に染め抜かれたものであり、宗教色はそれに比べると薄い。従って、宗教団体というのは団体として機能し、発展することを最優先にして活動していると言える。

このように観念的に述べても理解し難いだろうから、次のような喩え話を考えて欲しい。

子供のころから料理が大変好きな人がいた。彼は大きくなったら自分の料理店を持ちたいと考えた。それで、高校を卒業するなり料理学校に入学し、料理の研鑽をつんだ。その甲斐あって、料理学校を卒業と同時に有名な料亭に板前修業させてもらえることになった。そこでさらに腕を磨き、独立して自分の料理店を構えることができた。

彼は、ようやくこれで自分の作った料理をたくさんの人に食べてもらうことができる、と喜び、料理作りに励んだ。その甲斐あってその店は評判を呼び、ひいきの常連客がどんどん増え、大いに繁盛した。すると、今まで料理の事だけを考えていたのが、次第に従業員や仕入れの調達ルートの開拓、資金繰りなど、料理以外のことを考えなければならない時間が多くなった。その内に個人の店から会社組織の料理店にし、チェーン店を数店持つようになると自分で料理を作る時間がまったくなくなってきた。

ある時、ふと自分の毎日の仕事を考えてみると、どうも自分は料理を作っているのではなく、料理店という会社組織を経営しているのだと気づいた。当初、料理を作りたいと思っていたはずなのに、個人経営から団体組織に変った途端に、もはや料理そのものが問題ではなく、いかにしてこの会社組織をうまく運営していくかを考えることが最優先課題となっていたのだった。

結局、彼が個人的にもっていた料理への情熱というドライビング・フォースが団体組織となるに従って、いかに利益を上げるかという組織の維持・発展のドライビング・フォースへと変貌したわけだ。この料理の喩えは、宗教に置き換えると、料理とは宗教の開祖が唱えた教義であり、会社組織の料理店とは宗教団体ということである。

つまりは、団体組織にとって自分たちの組織が拡大発展することが第一義的に重要になってくる。それ故、もしその発展が阻害されたり、組織が滅亡の危機に瀕すれば、必死になって組織を守ろうと努力する。その際、たとえそれぞれがコアとしているもの（上の例では料理や宗教の教義）を取り替えてでも組織が存続するなら、古靴を捨てるがごとく、意にかけはしないだろう。

この喩え話から、なぜ宗教の開祖が熱意をこめて説いた教義が宗教団体では希薄になるかがお分かりいただけるだろう。また、同時に、宗教団体の信者は、個人的に付き合う限り善良な人は多いが、宗教団体の雰囲気は極めて独善的である理由も納得できる。つまり、彼らは暗黙のうちに組織の発展を志向しているので、他の組織を排撃してでも自己の組織の発展を無意識の内に願っているわけだ。その上、自己の組織が常に正義、善であると信じきっている。以上の点が明らかになってくると、世界の宗教の唱える教義自体に共通点は数多くみつかるものの、決してこれらの宗教団体が融合しない理由も理解できる。

結局、宗教とは何か？

本章の冒頭に述べたように、宗教に関しては疑問に感じることは多い。とりわけ、宗教と哲学や道徳との差が分からない人は多いだろう。私もこの差が分からなかった一人で、ずいぶん長いあいだ考えたが、ざっくり言って次のような結論を得るに至った。

1. 宗教とはこの世とあの世の合算システム　…　道徳はこの世（現世）だけに関連するが、宗教はこの世（現世）とあの世（来世）を合算して考える。
2. 論理より信仰が宗教の本質　…　哲学の最終的な拠り所は理性で、人間の論理に合わないことは偽（正しくない）として斥ける。宗教の最終的な拠り所は信仰で、論理を超越した奇跡や神話をも絶対的真理として認める。

これらについてもう少し詳しく説明しよう。

道徳（及び法律も含めて）も宗教も報酬や罰をちらつかせながら人々に善行を勧め、悪行を控えさせる。目的や方法論においてこの両者に大差はない。ただ、道徳の場合、人の言動とそれに対する報酬や罰はあくまでもこの世の中だけで清算される。一方、宗教ではこの世（現世）とあの世（来世）を合算して清算する。つまり、この世では善行なり悪行なりの報いがこなくても、あの世（来世）や子孫（未来）まで考えると必ず帳尻が合うということだ。

例えば、道徳では、困っている人を助ければ、いつかあなたが誰かに助けられますよ、といって善行を勧める。宗教では、困っている人を助ければ天国にいけますよ、あるいは、あなたの子孫にその善行の報酬がありますよ、と勧める。善行をすると、たとえこの世では報われなくとも来世ではきっと良い報いがあると励ます。来世までをトータルでみれば、必ず投資（善行）に見合った見返り（極楽）が保証されている。あたかも確定利回り債券を勧める証券会社のようなものだ。それも利回りが確定しているだけでなく、他のどの投資案件よりも大幅な利益がありますよ、と囁く。キリスト教の場合は、全人類の罪をイエスが自分の血で贖《あがな》ったので、イエスを信じて善行を行う者（つまり良きキリスト教徒）は必ず救われて、永遠の命をもらって天国に住むことができると説く。永遠に天国に住めるという報酬（リターン）は投資（善行）の何倍もの価値があると吹聴する。投資効果が何倍にも膨らむ宗教と比べると、報い（罰）がこの世だけで完結する道徳は人々を善行に駆り立てるインパクトは弱いと言えよう。

次に哲学と宗教の差を考えてみよう。哲学は誰もが納得する概念を共通基盤としてその上に精緻な論理を積み重ねる。それ故、一部の民族しか認めないような神話や奇跡は古代や中世ならいざ知らず、近世・近代の哲学では対象とならない。一方、宗教（神学）は聖典に書かれていることは間違いがない（無誤謬）という前提だ。それゆえ、他の宗教の信者にとっては、ばからしいような神話や奇跡も信者にとっては実際に起こったことであり、真理である、と認めたうえで緻密な理論を組み立てる。更に、キリスト教神学において科学的にみて真理かどうかよりも、絶対真理とされる聖書の記述が互いに論理的に矛盾しないかどうかのほうが遥かに重要だという。真理に客観性を求める現代人に宗教がうさん臭く映る理由にはこういう背景があるのだ。

上の議論では、細かな点は省いて説明したが、誤解を招くといけないので少し補足しておきたい。

宗教は現世と来世を合算して考えるといったが、各宗派によって多少異なる。まず、現世に力点を置く宗教としては、ユダヤ教と神道が挙げられる。ユダヤ教は基本的には来世を教義としては説かないものの個々人のレベルではそうとも言えないといわれる。神道では死んだ後の魂はこの世に災いをもたらすことはあってもあの世で苦しめられることはないとされる。

次に、宗教は現世と来世の両方を考慮すると述べたが、宗教の中には、現世は一回限りだと考える宗教と、来世は何度もあると考える宗教がある。現世が一回限りとするのは、キリスト教、イスラム、ゾロアスター教だ。いずれもこの世の終わりになる時に最後の審判があって、肉体がよみがえり、各人の現世での善行と悪行が調べ上げられ、報酬が与えられるか処罰が下される。

一方、来世が何度もあると考えるのは、人間も含め、すべての動物は輪廻転生を繰り返すと考えるインド発祥の宗教、つまり仏教、ヒンドゥー教、ジャイナ教がある。最後に、来世の報いは自分自身ではなく子孫に及ぶと考えるのが儒教だ。このように考えると、なぜ日本にキリスト教やイスラムが普及しなかったかの理由がよく分かる。**伝統的に日本人は、現世重視の文化に育ってきたので、来世が現実味をもって感じられない**。それで、一神教の唱える現世＋来世の合算清算の考え方を心の底から信じることができない人が多いと考えられる。

来世まで含めた合算清算の視点が理解できると、キリスト教徒やイスラム教徒の行動原理が分かるようになる。例えば、イスラム教徒の現世における親切は、ザカート（喜捨）をしたり、困っている人を助けるなどの善行は、程度の差こそあれ基本的には人のためではなく、自己の利益のために行われている。それは、いわば死後に天国に行くための先行投資だ。イスラム学者の牧野信也の『アラブ的思考様式』（講談社学術文庫）に書かれている実話を紹介しよう。

牧野氏がダマスカスの空港に降りたあと、ちょっとした隙に、荷物を盗まれた。そこへ一人のアラブ人が通りかかり、親切にも家に泊めてもらうことができた。2日間、非常に暖かい歓待を受けた牧野氏は別れ際にお礼のつもりでお金を渡そうとすると、途端に「侮辱するな！」と真っ青になって怒鳴られ家から放り出された。それからいくらドアを叩いても開けてもらえなかったという。というのも、アラブ人は困った牧野氏を無料で泊めてあげたことで善行を積んだはずなのに、金で清算されたらせっかくの善行が無になってしまうことに腹を立てたのだ。イスラム教徒なら誰でもこうするとは言えないにしても、自分の良き来世のために善行を積むという考えが彼らの意識の根底にあるということを知っておくべきだろう。

私の到達した宗教観

私は長年、宗教とは何かと、いろいろと探し求めてきた。その結果は、確かに些細なものかもしれないが、ひとまず納得のできる結論を得ることができた。

その結論とは「**人間中心の宗教でいう神はすべて空想に過ぎない**」ということである。その理由を説明しよう。

すべての宗教は「神は人間のことを気にかけてくれている」という前提を置く。これは、未だかつて誰も科学的に検証したこともなければ、万人が納得する形で証明されたこともない仮説である。それにも拘わらず、人々は魅入られたようにこの仮説を絶対真理と認めている。もっとも中世の大神学者のトマス・アクィナスは『神学大全』でこれらを証明したと豪語するが、残念ながらとても科学的検証に堪えうるものではない。

理解に苦しむのは、神や仏は一人の人間を気にかけてくれているだけでなく、何億人もの些細な言動や心の動きを逐一見守っているということだ。そして、必要な時には救いの手を差し伸べてくれる、つまり「神の恩寵」や「仏の慈悲」はすべての善良な人間には与えられるというのだ。私は子供のころから、こういう話はうさんくさいと思っていたが世間の大多数の人が確固として信じている宗教を自分の感情だけで、根拠もなく否定するような勇気はなかった。しかし、大人になって人間界以外のことを知るにつれて子供のころに抱いたわだかまりがどんどんと大きくなってきた。幸運なことに現在の映像技術の発展、特に超高速ビデオ、超小型カ

ライオンに襲われた大型獣の悲劇的な最後
出典: https://www.arkive.org

メラ、あるいは暗闇の中でも鮮明に撮影できる赤外線カメラなどのおかげで、今まで知られていなかった自然界のリアルな映像を見ることができるようになり、それによって、自然界の掟、つまりキリスト教でいう「**神の摂理**」を想像ではなく事実として知ることができるようになった。

例えば、ライオンがシマウマやヌーのような草食獣をしとめる時は喉首に喰らいついて、数分の内に窒息死させる。ところが、大型草食獣（象、カバ）などは喉首が太いため、噛み付けない。ではどうするのか？　複数のライオンが大型獣の背中や後ろ足に噛付いて地面に引きずり倒し、体の上に何匹も乗って重みで動けないようにして、すぐさま足の付け根の腱を噛み切るのだ。大型獣は動けなくなったものの、まだ死んではいない。ライオンたちはそれにも構わず、一番柔らかい部分である肛門辺りから食いちぎって、徐々に皮を剥ぎながら肉を食うのだ。結局、大型獣はライオンに生きたまま食われて、10分も20分も苦しみ、もだえながら絶命するのである。

長々と大型獣の死の様子を説明したが、私の言いたいのは、この自然界の掟は、彼ら動物が勝手に作ったのではなく、いわゆる恩寵や慈愛に満ちた神や仏が定め、動物たちに頒布した摂理そのものである、ということだ。

私はこのショッキングな映像をNational Geographicsのテレビ番組で見てから完全に我々人間が考えている神の恩寵や仏の慈愛というものがまったくの空想（フィクション）であるということを確信するに至った。つまり、全知全能の神がすべての動植物を作ったのであれば、統治原理である「神の摂理」、つまり動物界の掟はすべての生物に共通であるはずだ。大型獣の死に際が、かくも無慈悲なものでありながら、人間にだけは恩寵や慈愛をそそいでくれる、と考えるのはあまりにも人間の勝手な考えではないだろうか！

ファーブルは『昆虫記』の「寄生の理論」で寄生ばちの残忍なずる賢い動作から「**神とは幼稚きわまる作り話だ**」と結論づけた。というのは、昆虫の世界では、生きながらにして食われるというのが普通であるからだ。もっとも、昆虫の神経回路は人間や高等動物と異なるので見た目ほど痛みを感じないかもしれないが。

私が自信をもって言えるのは、**人間中心、あるいは人間世界のことしか考えていない既存の宗教は宇宙の真理とはまったく縁もゆかりもない人間の勝手な空想に過ぎないということだ。**

宗教は戦争の強壮剤？

本章の最後に一言述べておきたいことがある。それは有史以来、数多くの戦争が宗教を原因として起こったという事実（もっとも例外的に日本だけは少なかったのであるが）であり、宗教史は政争史と同義だといっていいほどだ。本来は人々の悩みを解決し、人類を救済するはずの宗教が宗派の違いから、逆に人類を苦しめる戦争を起こしてきた。これは実に皮肉な話で、この悲劇は喩えてみれば次のような状況ではないだろうか？

ある無人島に男が四人流れ着いたとしよう。そう、ロビンソン・クルーソーが集団移住したような状況だ。初めは、呆然としていたのだが、その内、家も建て狩猟や農耕、大工などの仕事を分担しながら、時折つまらないことで言い争いはするものの、仲良く暮らしていた。

そこへ突然、美女が一人漂着した。すると、今まで仲良かったはずの四人の男たちはその美女をめぐり、殴り合いの喧嘩になった。誰もが独り占めしようとして躍起になったのだ。つまり、残念ながら四人の男たちは「待て待て、この美女を独占するのではなく、共有すればまた仲良く暮らせるではないか」という考えには思い至らなかった。

この喩え話のなかでいう美女とは、宗教のことだ。宗教とは本来は排他的でなく、人類の共有財産であるはずだが、この四人の男たちのように結局は喧譁を引き起こす道具となった。人の悩みを治すための知恵の精髄《エッセンス》、それが宗教であるはずだったが、現実は人類全体の苦悩を一層深める原因となった。

宗教が苦悩を解くのではなく一層苦悩を深めることになったという点は、次のようにも喩えることができる。

ここにガンに良く効く薬があるとしよう。しかし、副作用が非常にきつく、ガン自体は治るものの、必ずといって良いほど、肝臓障害を引き起こしてしまうとしたら、これは果たして薬と呼ぶに値するのであろうか？

一つの問題（一つの宗教集団内の統一・秩序）を解決はできるとしても、反《かえ》って別の大きな問題（宗教集団間の軋轢・闘争）を惹き起こしてしまう。宗教と戦争はそういったコインの裏表の関係にあるのではないか？

歴史上の、そして現在進行中の紛争を鑑みるに、「宗教は戦争の強壮剤ではなかろうか？それならいっそのこと宗教はないほうがよかったのでは」と、思わずため息が出てしまう。

第3章

歴史

《ヨーロッパ／中国／日本》

ヨーロッパ文化の根幹を知らない日本人

ヨーロッパには古くはケルト文化やギリシャ・ローマに始まり、中世、ルネッサンス、近代市民革命と続く長い歴史がある。その中でもギリシャ・ローマは現在の欧米の文化の根幹をなしていることは多くの日本人は知っている。しかし、そうだからといって必ずしもギリシャ・ローマの実態を知っている訳ではない。

その原因の一つにはギリシャ・ローマの文化、とりわけローマの歴史が日本には正しく紹介されていないからである。というのも、日本ではギリシャに関する学術面の研究者や出版物は多いものの、ローマに関するものは少ないからだ。その理由は明治以降日本の教育に対するドイツの影響が強かったためで、ドイツは他のヨーロッパ諸国（イギリス、フランス、イタリア）に比べてギリシャに対する思い入れがゲーテの時代から強くあり、それがそのまま日本に影響している。

しかし、ヨーロッパでは圧倒的にギリシャよりローマの影響が強い。これは日本にいると分からないが、ヨーロッパを旅行すると至る所にローマ時代の遺跡を見ることができるし、さらには書店に行くと、ローマ時代に関する書籍が非常に多くみかけられることからも容易に想像がつく。

日本で『三国志』が人気であるのと同様、ヨーロッパではローマ、それも紀元前27年まで約500年続いた共和制ローマに対する人気は根強い。日本でもおなじみのカエサル、アントニウス、クレオパトラはいうまでもなく、王政を倒して共和制ローマを打ち立てたブルータス、ローマ史上最大のピンチをもたらしたハンニバルを見事に討ち破ったスキピオ、ストア派哲学を信奉し日本の武士にも劣らない見事な最期を遂げたカトー、ヨーロッパ史上最高の雄弁家・キケロなどは、現在でもなお人々の心のなかに活き活きとしたイメージを与えている。

こうした意味で、本項ではギリシャの歴史書も紹介するが、力点は日本ではほとんど知られていないローマの歴史書、とりわけリウィウスの『ローマ建国以来の歴史』を紹介することにある。何故なら、ローマの歴史を理解することがヨーロッパ精神を理解することであり、ひいては現代のグローバル社会の基本理念を正しく理解することにつながるからだ。

歴史は「鏡」

歴史家というのは古今東西問わず、過去を現在の「鏡」として見ようとする。日本の鏡物といわれる『大鏡』『今鏡』『水鏡』『増鏡』の歴史書（というより歴史物語）の「鏡」という語もその意味だ。また、中国の『資治通鑑』の「鑑」も「鏡」という意味である。神宗御製の序にいう、「過去の歴史書は後世の戒めの鏡となる。それゆえ、資治通鑑という名前を与えた」というのがこの意味である。

ヘロドトスの『歴史』

ギリシャの歴史家としては「歴史の父」といわれるヘロドトスの名が真っ先に挙げられる。ヘロドトスは現在のトルコの西海岸の市ハリカルナッソスで生まれたギリシャ人で、若いころから各地を旅して、ギリシャとは異なった風習に数多くふれながら記憶した。

ヘロドトスの『歴史』は、考証主体の現代の歴史とは異なり、エンターテイメント的要素が非常に色濃く表れている。確かにこの『歴史』の主テーマはペルシャ戦争ではあるが、前半（第1巻から4巻）のエジプト、リビア、スキタイなどの風俗の描写も非常に精彩に富み、読む者を飽きさせない。この観点からこの本の前半は歴史というより、旅行記と言ったほうが合っている。その中には、実見せず、伝聞の話も交じっていると考えられる。いずれにせよ、ヘロドトスは歴史家というより、物語を書くのが非常に上手な人、つまり一流のストーリーテラーといって良いだろう。

『歴史』の後半（第5巻から9巻）は、当時の大戦争であったペルシャ戦争を描いている。誰

「歴史の父」といわれるヘロドトス

もが、大国ペルシャに小国のギリシャが勝てる訳はないと思っていたが、結果的にペルシャの惨敗に終わった。大国ペルシャがどうして負けたのかについて、ヘロドトスは「ペルシャには驕りがあり、それで神の怒りをかってしまったからだ」と結論づけている。

「驕り（ヒュブリス）の為に没落する」という考えは、ヘロドトスだけでなく、その後のヨーロッパの歴史や文学作品の中にも数多く登場する。シェイクスピアの『リア王』の没落も驕り（ヒュブリス）が原因とされており、ヘロドトスの歴史観は、陰に陽にヨーロッパの歴史や文学に影響を与えている。

ヘロドトスは歴史家というよりストリーテラーであると述べた。例えば、ペルシャの海岸には日本以上に魚を食べる部族がいる（巻1）とか、エジプトのミイラには松竹梅の3ランクある（巻2）とか、中央アジアの遊牧民であるイッセドネス人は男女同権である（巻4）など、面白い話が満載であるが、その中から二つばかり劇的なシーンを紹介しよう。

二人とも刺せ

アケメネス朝ペルシアにダレイオスという人物がいた。当時、マゴスという僧の兄弟がペルシャの実権を握っていたが、ダレイオスは仲間と共にマゴスたちの暗殺を計画した。仲間の一人が暗闇の中、マゴスを捕まえたが揉み合いとなった。どちらが敵か味方か分からないので、ダレイオスが躊躇していると、仲間は「構わぬから二人とも刺せ！」と叫んだ。ダレイオスは刀を抜いて二人ともグサッと刺し殺した。ヘロドトスは実際にその場にいたわけではないが、あたかもその場にいたかの様に臨場感あふれる筆致で描写している。

ゾピュロスの苦肉の策

もう一つは、苦肉の策だ。

苦肉の策、と言えば三国志演義の赤壁の戦いの名場面を連想する人も多いだろう。曹操が百万と豪語する軍を率いてわずか数万の呉と蜀の連合軍をひねりつぶそうと意気込んで南下してきた。正攻法では勝てないと考えた呉の老将・黄蓋がわざと周瑜の怒りをかい、公の席で鞭打たれた。黄蓋は、この怨みを晴らすために曹操に寝返ると連絡し、信用されて敵陣に入り、放火したので曹操軍は壊滅した。

ヘロドトスの『歴史』にもこれと似た話がある。

ペルシャのキュロス大王がバビロンに進軍し、2年近くも攻めあぐねていた。家来のゾピュロスは難局を打開するために、わざと自分の鼻と耳を削ぎおとした。そして、キュロスに虐待されたと言ってバビロン城内に逃げ込んだ。ゾピュロスは計略を用いてバビロン市民の信用を得て司令官におさまるとキュロス軍を密かに市内に導きいれた。こうして不落の要塞バビロンは陥落したのだった。ただ、これは余りにもでき過ぎた話なので、黄蓋の「苦肉の策」と同じくフィクションかもしれない。

いずれにせよ、ヘロドトスの記述内容はギリシャだけに止まらず、エジプト、ペルシャ、シリア、スキタイなど非常に広範囲に及ぶ。巧みなストーリーにあたかも２５００年前の映像を見ているような錯覚に陥ること間違いなしの名著だ。また、異邦人をバルバロイと軽蔑した誇り高きギリシャ人にあってヘロドトスの偏見のない客観的な記述は、人間の活き活きとした多様性を実例で教えてくれる、生きた哲学書でもある。

トゥキディデスの『戦史』

ヘロドトスはペルシャとギリシャの大戦争を描いたが、トゥキディデスはギリシャ人同士の大戦争であるペロポネソス戦争を冷静な筆致で描いた。ペロポネソス戦争（紀元前４３１―４０４）とはアテネとスパルタを軸としてギリシャ全土を巻き込んだ大戦争であった。

トゥキディデスは、人間性が変わらないのであるから将来も同じようなことが起こるはずだと考えた。それで、この大戦争（ペロポネソス戦争）の経緯や因果関係を明らかにすれば、もし将来に同様なことが起きても、どの様に対処すれば良いか分かるだろうと考え、詳細に記述した。それ故、トゥキディデスの『戦史』はヘロドトスのような物語性に富む面白みは少ないが、当時の人々の人間性や考え方を知るには格好の書である。

『戦史』の特徴の一つは非常に数多く載せられている政治家や将軍の演説にあるといえる。トゥキディデス自身もこの戦争に将軍として参加したが演説のすべてを聴いたわけではない。それでもあたかも本物の演説のように実に活き活きと書いている。数ある演説の中でも有名なのがペリクレスの追悼演説だ。戦争が始まって間もなく、アテネ軍の戦死者を追悼して、ペリクレスが弔辞を述べた。

この演説の中で、ペリクレスは戦死者が勇敢に戦ったことを誉めたあと、「**幸福は自由に依り、自由は勇気に依るものであるから戦闘に怖気づいてはならない**」とアテネ市民に一層の奮起を要請した。

ギリシャの都市国家（ポリス）が一番大切にしていたものが、**自治、自由**である。個人が自由人であるだけでなく、ポリスが自由で対等であるとの理念を掲げていた。確かに、現実的には軍事的に強力なポリスが他のポリスを圧迫したり支配したが、自由・自治のポリスという理念は今のヨーロッパの国々の独立意識や外交政策に受け継がれている。とりわけ、自由の意味がよく分かるのが巻5の最後に詳細に記述されているメロス島の悲劇だ。アテネはメロス島に屈従するように高飛車な要求をつきつけた。メロス人はこれを拒んだため戦争になったが敗北した。その結果、メロス島の成人男性はすべて処刑、女子供はすべて奴隷にされた。この一連の経緯に、ソクラテスを生んだアテネの正義心や道徳心は微塵も感じられないが、これが現実である。トゥディデスに限らず、ギリシャの歴史を読むと、自由というのは日本（や東洋）では考えられないぐらい重要なものであったことが良く分かる。

ヨセフスの『ユダヤ戦記』

現在、ユダヤ人は世界各地に住んでいるが、そもそも彼らは地中海の東端に国家を持っていた。しかし、ある戦争をきっかけとして居場所を奪われて、散り散りになった。時は、紀元後66年、ローマの支配下にあったユダヤ人たちが独立戦争を起こした。数年の激しい戦闘の後、追い詰められてエルサレムの神殿に立て籠もったが、ローマ軍の猛攻にユダヤ人たちは皆殺しにされた。その後、ユダヤ人は国家を失い、世界各地に散らばり（ディアスポラ）20世紀になるまで国家を持つことができなかった。

この悲劇的な戦争の経緯を書いたのがヨセフスの『ユダヤ戦記』である。ヨセフスはユダヤの祭司の家に生まれた知識階級で、この戦争で

壮絶な戦いの末に陥落したエルサレム
（ヨセフスの『ユダヤ戦記』）

は、ユダヤ軍の司令官だった。

ところで、なぜ当時、無敵を誇ったローマ軍にユダヤ人たちは勝てる見込みのない戦争を挑んだのか？　**それは「自由」を求めたからだ**。

『ユダヤ戦記』には「奴隷になるより、死んだほうがましだ！」、「奴隷になるよりも自由人のまま妻子もろとも死ぬほうがよい」という文句が何度も現われる。その主旨は、生きるか死ぬかが問題ではなく、自由であるか、自由を奪われて奴隷の身分になるかが問題だということだ。

ギリシャでは国家や個人の自由が非常に重んじられたと述べたが、それはギリシャだけのことではなく、地中海世界全体の共通の認識であったということになる。

ヨセフスは敵であったローマ軍の司令官で後の皇帝・ウェスパシアヌスとその息子のティトゥスについて、冷静に評価している。戦後を無事に生き延びるためにはローマ皇帝に逆らうことは得策ではないのは確かであるが、ヨセフスの記述からは皇帝におべっかをつかう姑息な意図は感じられない。『ユダヤ戦記』はあまり読まれることはないが、ユダヤ人たちが絶望的な戦いを挑んだ心境は、太平洋戦争当時の沖縄戦のようで、とても涙なしでは読めない。

アッリアノスの『アレクサンドロス東征記』

ギリシャだけでなく、ヨーロッパの英雄と言えば真っ先にアレクサンドロス（アレキサンダー大王）の名前が思い浮かぶ。彼は若くして王になり、戦いに明け暮れた一生を送った。戦闘となれば、真っ先に敵陣に突っ込み、連戦連勝を飾った。ギリシャだけでなく、シリア、エジプト、ペルシャを席巻し、果てはインドにまで遠征した。

この遠征について記述したのがアッリアノスである。当時、ローマの貴族階級ではストア派の哲学が大流行していたが、アッリアノスはその巨頭の一人であるエピクテトスの弟子であった。つまり、アッリアノスは歴史家であると同時に哲学者でもあったのだ。

アレクサンドロスがなぜ現代に至るまで人気があるかといえば、それは彼の人物の大きさ故といえる。それをよく示す話がこの本にはいくつも載せられている。

アレクサンドロスには当然のことながら数多くの敵がいて、毒殺や暗殺の危険がいつも身辺につきまとっていた。ある日、一通の手紙がアレクサンドロスに届き、そこには「侍医があなたを暗殺しようとしている」と書かれていた。アレクサンドロスは、その手紙を読んだが、素知らぬふりをして侍医が持ってきた薬を受け取ると、侍医に手紙を渡しつつ薬をぐいと飲みほした。手紙を読んだ侍医は真っ青になり、しきりに弁明したが、アレクサンドロスは「心配するな、お前を信頼している」と告げた。薬を飲んだ後、アレクサンドロスは高熱を出したものの、暫くして病気は治った。このように、アレクサンドロスはいったん人を信じると、とことん信じきるという度量の大きさを備えていた。

数年にも及ぶ大遠征に疲れた兵士たちが望郷の念に駆られて反抗したこともあったが、それでも最後までアレクサンドロスに付き従った。それというのもアレクサンドロスは兵士たちと苦難を分かち合ったからだった。例えば、沙漠を横断中、水が無くなって皆が喉の渇きに苦しめられていた時、兵士がたまたまくぼみに溜まっていた水をヘルメットに入れてアレクサンドロスに持って来た。アレクサンドロスはその兵士に厚く礼を言ったが、皆の前でその水を地面にぶちまけた。このように勇敢であっただけでなく、人情にも篤いアレクサンドロスだからこそ、兵士たちは苦難を乗り越えて従ったわけだ。

このようにアレクサンドロスは武勇に優れていただけでなく、強い克己心も持ち併せていた。33歳で急逝した若き英雄はヨーロッパ人にとって永遠のヒーローとして称えられるだろう。ただ、果たして当時の人々も同じように感じていたのかといえば、そうだと決めることはできないだろう。何万人という兵士を率いて移動するわけであるから、当然のことながら食糧の調達や宿泊は現地でということになる。行軍の進路に当たる町や村の人々の立場からすれば、ある日、突如として大勢の兵士がやってきて、食糧や女性たちを強奪されたり、あるいは殺されたりする訳だ。**歴史を読む時には表の面だけでなく、その裏面で行われていたことについても想像力を働かせて考える必要がある。**

リウィウスの『ローマ建国以来の歴史』

本章の冒頭でも述べたように、日本人にとって、西洋の歴史といえば、フランス革命や18世紀の産業革命以降のことがすぐ頭に浮かぶ。遡ってもせいぜいルネッサンスや中世どまりであり、それ故に、フランス国の標語である「自由・平等・博愛」(liberté, égalité, fraternité）についても、フランスの啓蒙思想家たちが近代国家にふさわしい概念として作りだしたかのように誤解している人が多いのではないだろうか。

これらの概念の内、「自由・平等」の二つは既に紀元前5世紀のアテネの民主主義の中心理念だった（古代社会の奴隷制はここでは議論しない）。また「博愛」に関してはキリスト教以前の共和制ローマの時に、すでにhumanitas（フマニタス、人間性の尊厳）という概念が存在していた。この概念は帝政ローマ初期の文人・小プリニウスの書簡集などでもしばしば登場する。

現代の欧米の思想や社会を正しく理解するには古代ギリシャ・ローマの歴史を知る必要がある。その際、一番良いのはローマの歴史家・リウィウスが書いた『ローマ建国以来の歴史』を読むことだ。20年近く前にＬｏｅｂ叢書の対訳本を通読して「**リウィウスを読まずしてヨーロッパ精神は分からない**」と確信した。リウィウスはローマの共和制が終わり、アウグストゥスによる帝政が始まったころの人だが、その頃、ローマの公文書館にはローマ建国以来７００年間の歴史が保管されていた。リウィウスは当時の一級の歴史資料を使い渾身をふるって祖国の栄光に満ちた700年もの歴史絵巻を描いた。

その目的は、ローマの貴族・文人に祖国の歴史を読ませるためであった。というのも、ローマの政治を担う貴族・文人は幼いころからギリシャ語で教育を受けていたので、自国の歴史よりもギリシャの歴史のほうに通じていたからで、これは、ちょうど高麗や李朝の政治家・文人が自国より中国の歴史に詳しかったのとまったく同じだ。リウィウスはローマの貴族・文人が政治を任されているにも拘わらず、自国の歴史をよく知らないのを嘆いた。そうした折、アウグストゥスから歴史をまとめるように依頼されたリウィウスは140巻にも及ぶ膨大な歴史書を書き上げた。

ローマは拡大に継ぐ拡大を続けた共和制の時代が一番輝いていた。リウィウスは、共和時代の栄光は「**自由と平等**」という理念を何にもまして重要視していたことを伝えたかった。そして、確かに帝政になってからこの理念は崩れはしたものの、最終的にはヨーロッパの歴史の伏流水となってフランス革命にまでつながっている。

リウィウスの『歴史』は、この理念を抽象論ではなく実例を使って活き活きと伝えている点が最大の魅力である。リウィウスは歴史を書く意図を「善事を見ては、同じからんと願い、悪事を見ては、避けよ」と表現したが、これは中国の歴史家がモットーとした「善以為式、悪以為戒」（善はもって式となし、悪はもって戒めとなす）と同じである。

質実剛健のローマ

現代の日本人は、ローマと聞くと「パンとサーカス」や皇帝ネロに代表されるような風紀乱れた廃頽の国というイメージを抱きがちだろう。そして、それらの現象があたかもローマの建国以来の伝統であった如くに考えるが、その印象は紀元後のローマの帝政の話であって、実は**ローマというのはずっと「質実・剛健」であった**。

リウィウス曰く、「清貧が名誉であることが、この国（ローマ）ほど長くあった例がない。富が少なければ少ないほど、一層寡欲であった」。つまりローマは「尚武の国」であり、ローマの兵隊が強かったこともさることながら、勇猛な将軍に率いられ、正々堂々と戦う姿が周辺の国々から尊敬を得ていた。

そして、ローマにはローマと戦争して敗れた相手もローマと同盟を結びたいと思わせる**徳（virtus）**もあった。その例を建国当時の歴史から見てみよう。

紀元前753年の建国当時のローマは、血気さかんな若者の集団であった。当然のことながら彼らが最も欲したのが若い女性であった。そこで、ローマの建国主、ロムルスは、村祭りを盛大に行うという触れ込みで人々をあつめ、その騒ぎにまぎれて一挙に若い女性たちを略奪しようと計画した。

するとサビーニという近くの村から多くの人が一家総出でローマの祭りを見にやってきた。合図と共にローマの若者たちはサビーニの人々に打ちかかり、若い女性たちを略奪して、男たちを散々に蹴散らした。サビーニの男たちはほうほうの態で故郷に戻って傷の手当をし復讐の機会を窺った。その後、数年して力を蓄えたサビーニの男たちが略奪された娘や姉妹を取り返しにローマを襲撃したのだが、図らずも今やローマ人の妻となり、子供も儲けていたサビーニの女性たちは両者の間に割って入り、戦争になるのを阻止した。

この情景をドラマティックに描いたのが、今なおルーブル美術館に飾られているジャック＝ルイ・ダウィッドの『サビーニの女たち』という名画である。

ジャック＝ルイ・ダウィッド作
『サビーニの女たち』

その後、ローマとサビーニは同盟を結んだ。ローマは他の部族の女性たちだけではなく、風習までも遠慮なくどしどしと取り入れた。ギリシャはいうまでもなく、打ち負かした都市の神々をも陽気に取り入れた。ローマは人種のみならず文化のごった煮であるが、これは現代アメリカにも通ずるものがある。こういった他文化に対する寛容さが、最終的にローマの文化がヨーロッパ全土に普及する要因の一つだと私には思える。

しかしながら、最後に受け入れたマイナーな宗教の一つであったキリスト教が寛容なローマを教条主義的で融通のきかないローマに変えてしまった。その結果、他文化に対して寛容だったローマのよさが失われてしまったのは残念である。後世、ルネッサンスが勃興し、キリスト教の厳しい束縛から脱して、ヨーロッパの人々は再び元の「異教のローマ」に人文主義を見出すことになった。

息子をも厳罰に処したブルータス

ブルータスと言えばだれもがカエサル（シーザー）の暗殺者と連想するが、ブルータスというのは名門貴族で何人もの有名なブルータスがいる。その筆頭に挙げられるのがルキウス・ユニウス・ブルータスで、ローマからタルクィニウス王を追放し共和制を打ち立て、最初のコンスル（執政官）となった。

いつの時代もそうだが、旧体制で甘い汁を吸っていた人たちは、新体制を苦々しく見ているものだ。ローマでも、ブルータスに追放されたタルクィニウス王の取り巻き連中は面白くなく、「皆一緒というのはまるで奴隷のようだ。またかつてのように思う存分好き勝手に暮らしたいものだ」と不平をもらしていた。

このような不満が伝染病のように広がり、ついには、共和国の建国者であるブルータスの二人の息子（ティトゥス、ティベリウス）までが、その不満分子に与《くみ》するようになった。

彼らはタルクィニウス王と密かに連絡を取り、暗闇にまぎれて王を市内に入れる手はずを整える密談をしていた。ところが一人の奴隷がその話を盗み聞きしていて、早速二人の父であるブルータスに注進に及んだ。結局、不満分子の若者たちはブルータスの息子も含め一人残らず捕まった。

ブルータスは椅子に腰掛け、刑を執行するよう命じた。罪人は一人ずつ、棒でさんざん打たれた後、首をはねられた。その間、人々はブルータスの顔の表情をずっと注視していた。ブルータスは父親としての私情を捨て、コンスルとして法の厳格な執行に徹した。自分の息子二人も含め罪人全員の処刑が済んだあと、密告した奴隷には存分の金があたえられ、奴隷の身分から解放されて自由人となった。

息子の処刑を自らが命じて、処刑の一部始終を見守る、というブルータスのこの事件はその後長く、ローマ人の心に刻まれた。それは、私情と遵法のどちらが大切かということをブルータスが身をもって示したからで、ローマでは法が尊重された。

一方、中国では、私情が尊重された。それは、論語にある次の問答に表れている。

葉村の村長が孔子に誇らしげに言うには、「わしの村に正直ものがいる。父が羊を盗んだので、子供がそれを告発したのじゃ」。それに対して孔子は、「私の考え方とは違いますな。父が盗みをすれば、子供はそれをかばう。子供が盗みをすれば、父がかばう。そういうのが本当の素直さだと私は考えております」。

ヨーロッパの法治社会と中国の人治社会は何も近代になって急に始まった訳ではなく、このように２５００年以上も前から脈々と受け継がれている無形の遺産であることを、こうした話から知ることができる。

ローマの信義

ローマは単に武力だけで他の民族に打ち勝っていたのではなく、**信義（fides）**においても優っていた。ローマが一旦約束したからには、どのような事情であれ必ず守ってくれると同盟国の人たちは固く信じていたからこそ、ローマには友邦国が次々とできたのだ。

日本では「武士道は信義を大切にする」として、あたかも日本人だけがこの点では世界一のように考えている偏狭な風潮を感じる。しかし客観的に見て、現在はともかくも、歴史的な観点から言えば、ローマ人を初め、地中海地域の人たちも信義を非常に重んじていたことを知るべきである。

例えば、ローマの将軍・レグルスを取り挙げてみよう。

ローマはカルタゴと3次にも渡って国家の存亡をかけた死闘を繰り返した。その最初の第一

律儀にもカルタゴに戻ろうとするレグルスにすがりつく家族

次ポエニ戦争で、レグルスはカルタゴの捕虜となった。カルタゴとしては、ローマとの戦争を終わらせて平和協定を結びたいと考えて、レグルスにローマに戻って元老院を説得して、和平を実現してくれるように頼んだ。レグルスは和平交渉のためローマに戻った。しかし、レグルスの説得にも拘わらず、ローマの元老院が、カルタゴは叩き潰さなければならないという姿勢を変えなかったために和平交渉は失敗に終わった。レグルスはカルタゴを出発する際に、もし和平交渉が失敗すれば、カルタゴに戻ると約束していて、その約束通り、カルタゴに戻ろうとした。レグルスの家族はカルタゴに戻らないように泣いて懇願したが、レグルスは頑として受け付けず、カルタゴに戻った。一説によるとカルタゴでは和平交渉失敗の責任を追及され、拷問を受けて死んだと言われている。

ローマの発展を支えたのはまさにレグルスのような高潔な人物がいたお蔭である。

もう一つ例を挙げよう。スキピオがスペインを統治していた時のこと、彼が病気で重体になっているという噂が飛び交った。現地のスペイン人たちはスキピオを非常に信頼していた。スキピオが死んだら別のローマ人に支配されることになるが、それは嫌だと反乱を起こした。しかし、暫くしてスキピオが病気から回復した。スペイン人たちは反乱を起こした矢先にスキピオが元気であることが分かり、困り果ててしまった。スキピオは、僅か数人の首謀者を処刑し、残りのスペイン人全員を赦した。この出来事はローマが後世に残した美風の一つが**寛大さ(clementia)**であった。その後、スキピオだけでなく、カエサルも寛大さを示した人として知られることになった。

このローマの美風は近代のアメリカにも一部見られる。第二次世界大戦後、アメリカ軍が日本に進駐してきた際、それまで敵国であった日本に多くの物資をもってきてくれた。日本を懐柔しようとしたのかどうか、アメリカの真意は不明であるが、この事実は日本国民にアメリカの寛大さを印象づけるできごとであった。

タキトゥスの歴史書

本項の最後に紹介するタキトゥスは、ローマ帝政時代の政治家であると同時に歴史家でもある。タキトゥスの歴史関連の著作としては『年代記』『同時代史』『ゲルマニア』『アグリコラ』

が挙げられる。ざっくり言って『年代記』はかつての歴史であり、『同時代史』はタキトゥスが生きていた当時の記録である。この2冊を続けて読むと、帝政が進むにつれて共和制時代にはあった素晴らしい風習が時代と共に薄れていったことがよく分かる。かつて「ローマの良識」と言われた元老院の議員でさえも私利私欲や保身に走るさまが冷酷なまでに暴露されている。『ゲルマニア』はカエサルの『ガリア戦記』と並んで当時（紀元1世紀）のドイツの様子を良く伝えている。本書はタキトゥスが現地（ゲルマニア）の近くにまで行って集めた情報をベースに書かれているので、当時のゲルマン人の生活がよく分かると言われるが、必ずしも正確でない部分もあるようだ。

例えば、「ゲルマンの婦人たちはよく貞節を守って一生をすごし、ローマの世界におけるように見世物の誘惑や宴会の刺激に惑わされることがない。……人口が多いにも拘わらず姦通は極めて少ない。見つかれば直ちに処罰されるが、その仕方は夫に一任される」。これは当時のゲルマン人の実態を描いたというより、ゲルマン人のほうが文明国のローマ人よりも立派であると、ローマ人の堕落を皮肉った文章であるようだ。

タキトゥスの歴史書は内容もさることながら、その簡潔な文体はルネッサンス以降のヨーロッパの文人に驚きを与えた。英語には、〝Tacitean brevity〟（タキトゥスの簡潔さ）という特別な言葉があるぐらいで、その一例を挙げれば、日本語訳では「我々は恵まれすぎて堕落している」という文は、〝felicitate corrumpimur〟とわずか2語で表現されている。

ラテン語は近代のヨーロッパ言語と比べると凝縮されているが、タキトゥスの書くラテン語はその中でも別格である。西洋人がタキトゥスの凝縮美に憧れるのはあたかも日本人が漢文の引き締まったフレーズにあこがれるようなものと言えよう。この点からタキトゥスの歴史書は言語はどうあれ、翻訳されたものは本来の魅力がかなり薄れていることになる。

あるイギリス人の訳者はタキトゥスの翻訳のむずかしさを次のように表現した。「タキトゥスを訳した人はだれでも必ずタキトゥスを裏切ったという罪の意識と悔恨の情をもって己の訳業を振り返らずにはいられない」。なんとも切ない発言だが、それに輪をかけたような嘆きも聞こえる。たとえば、あるフランス人の訳者は「タキトゥスを訳すことは円積法を解くのと同じくらい不可能なことだ」と言ったと伝えられる。円積法とは、定規とコンパスだけで円の面積に等しい正方形を作図することだが、不可能なことの代名詞だ。

この文を目にして、私は俄然タキトゥスの歴史書をラテン語の原文で読むことに挑戦してみようという気になった。私のラテン語のレベルは低いものの、英訳の力を借りれば何とか原文の意味は取れる。それまでに、セネカやキケロなどの文章はかなり読んでいたが、**確かにタキトゥスの原文を読んで引き締まった文章の簡潔美には感激した**。よく、「漢字は素晴らしい文字だ、それに反して表音文字はだらだらしている。漢文のような簡潔な文章は西洋語では書けないだろう」とけなす漢文学者は多いが、その勝手な決めつけは一度でもタキトゥスの歴史書を原文で読めばひっくり返されてしまうことだろう。私はタキトゥスの歴史書（『年代記』『同時代史』）を読むことで、そうした偏見から免れることができてうれしく思っている。

面白いことこの上ない中国の歴史書

中国人は昔から記録を残すことに熱心なため、数多くの歴史書が書き残されている。しかし、中国人は歴史書を「過去の記録」としてとらえてはおらず、「将来の人のための教育テキスト」と考えていた。

このことを示すのが「善以為式、悪以為戒」（善はもって式となし、悪はもって戒めとなす）という言葉で、「善行は手本にし、悪行は戒めとせよ」という意味だ。日本人は、歴史に書き残すのだから善行だけ書けば充分だと思うかもしれないが、中国人はそれでは不十分と考えた。キノコ狩りでは食べられるキノコと毒キノコの両方を教えてくれるように、言動の良い手本と悪い手本の両方を示すことで、初めて人としてどのように振る舞えばよいかが分かると、現実的な中国人は考えた。

しかし、このような推論はあくまでも建前論に過ぎない。週刊誌やテレビのワイドショーを見てもわかるように、人というのは善行より悪事に一層強烈な関心を持つものだ。それも、残酷な悪事になればなるほど、読み手の興奮は高まる。

普通、中国の歴史を読むといった場合、教科書のような歴史的事件の解説書のようなものを思い浮かべるだろう。しかし、ここでいう中国の歴史書とは、漢文で書かれた本物の史書のことである。日本語訳でかまわないので読んでみると、この上なく面白く、想像を遥かに超えて驚くことばかりだといっていいぐらいだ。

中国の歴史書には、日本では考えられないほどの桁はずれの悪事や天災の数々が書かれている。中国の人口は歴史的にみて常に日本の10倍以上はあったので、被害者の数も日本より格段に大きいのはいうまでもないが、災厄の悲惨さは想像を絶する。中国の歴史家は天災や役人の巨悪に打ちのめされている人々の悲惨な状態を実にリアルに書き残しているが、もし、現実にその状況を目の当たりにすれば、とても正常な精神状態ではいられないことだろう。

現代の中国人の考え方の根底には、こうした悲惨な歴史をくぐり抜けてきた強靭さが感じられる。**中国を本当に知ろうとするならば、中国の哲学、思想、宗教などについての観念的な説明をしている書物ではなく、残酷で悲惨な中国の実態を反映した本物の歴史書を読むのが一番だと私は確信している。**

『春秋左氏伝』

中国最古の歴史書と言えば『書経』（尚書ともいう）が挙がるが、年代がはっきり分かっている歴史書としては『春秋左氏伝』が最も古い。これは春秋時代（紀元前770年から紀元前

453年）の約300年間のできごとを記述した歴史書で、年代順に事件が記述されていることから、「編年体」という。元来、政府が発表する官報やヘッドラインのようなものを集めた『春秋』という書物があったが、それだけでは事件などの詳細が分からないので、コメントを付け加えたのが『春秋左氏伝』（以下、左伝）である。

中国の思想が一番花開いたのが春秋戦国時代であった。この時に数多くの思想書、歴史書が作られ、その後の中国の文化・思想の根幹をなした。

私は高校生時代、歴史が苦手であった。とりわけ多くの人間が登場し、王朝名がころころと変わる中国の歴史は完全に私の記憶のキャパシティを越えていた。従って、高校時代は中国の歴史はまるで分からなかったが、ただ故事成句だけは心に響くフレーズが多いので好きだった。故事成句を通じて垣間見える中国の歴史は、あたかもサンゴ礁の熱帯魚を箱メガネからのぞき見る海中のようにまばゆいばかりの華やかさに富んでいた。

高校時代に好きであった故事成句につられて、私が中国の思想や歴史に本格的に興味をもって読みだしたのは、大学に入ってからのことだった。そしてこれらの故事成句のかなりの部分が『左伝』と関連があることを知り、いつかは『左伝』をじっくりと読んでみたいと思っていたが、実際に通読したのはそれからしばらく後のことであった。

『左伝』は通常、歴史書として分類されるものの文学としての評価は極めて高く、古来、多くの文人が魅せられた。というのも、『左伝』には政治や戦争の話の裏にあるゴシップ記事が数多く入っていて、それも「事実は小説より奇なり」を地でいく話が載せられていたからだ。ちなみに福沢諭吉は『左伝』全文を11回も読み、面白い所を暗記していたと自伝に記している。

現代でも有名人のゴシップ記事や事件のスクープ記事を掲載した週刊誌がよく売れるが、こうした現象は二千数百年前から変わっていない。例えば、痴話話から殺人事件に進展した話が『左伝』（襄公25年・紀元前548）に載っている。

斉の荘公は臣下である崔杼《さいちょ》の妻・姜氏を見初め、崔杼の家を訪問しては無理やり何度も姜氏と関係を結んだ。腹を立てた崔杼は遂に荘公が家に来たときに門を閉ざして兵士を放って荘公を刺し殺した。主君を殺し、次の君主を立てた崔杼であったが、数年足らずして斉国内の権力闘争に巻き込まれ、自殺に追い込まれた。

これだけでも一つのゴシップ記事であるが、歴史に残ったのは一連の事件を書き残そうとした史官の話だ。

史官は公的文書に「崔杼弑其君」（崔杼が主君を殺した）と書いた。それを知った崔杼は怒って、史官を殺し、記録を抹消した。それで事は終わったかに見えたが、史官の弟が再度、同じ文を書き残した。またもや自分の悪行を記されたことを知った崔杼はその弟の史官も殺し、記録を抹消したが、残っていたもう一人の弟がまたもや同じ文を書き残した。崔杼は根負けして、その記録は消されずに公的記録として残った。

我々は「命懸け」という言葉をたやすく使うが、この史官のように本当に「命懸け」で残した記録が中国の歴史である。

さて、『左伝』にはところどころに「君子曰く……」というコメントが見える。例えば、昭公19年（紀元前523年）に小国の許の悼公が痙攣の発作を起こしたので、太子の止が自ら薬を調合して父に飲ませたところ、容体が急変して死んでしまった。それで「太子が主君を殺した」との評判が広まり史書にも書き残されてしまい、太子は仕方なく亡命する破目となった。すると、君子はこのことを「真心を尽くして主君に仕えればいい。薬などは係の者に任せればよかったものを」と批評し、太子の孝行心が裏目に出たことを非難した。このような君子の批評から当時の教養人たちの最大公約数的な考えを知ることができる。『左伝』が二千数百年にもわたって読み継がれた歴史書であることから、「君子曰く」という表現はその後の中国の官僚、文人の生き方に大きな影響を与えた。

司馬遷の『史記』

中国の歴史書と言えば、誰もが司馬遷の『史記』を推すだろう。私も名前だけは知っていたが、歴史書と言えば退屈な政治の変遷の話に違いないと、勝手に思いこんでいたので『史記』にはまったく興味がわかなかった。

ところがある時、大学生協の本屋で、たまたま平凡社の中国古典シリーズの黄色い背表紙の『史記』（３冊本）が眼に止まった。「これが名高い史記か！」と思ったのと同時に、それほど圧倒するような分量でもないのでちょっと拍子抜けした。しかし、どういうことが書いてあるのだろうか、との興味から買って読みだしたところ、ぐいぐいと引き込まれた。面白さにひかれて１ヶ月という間は学業はまったく手につかず、朝から晩までひたすら『史記』を読んだ。

そして**全巻を読み終わり、魂がぶち抜かれたような強烈な衝撃を受けた**。とても２０００年以上前に書かれたとは思えない程、その文章には強烈な迫力があり、あたかもタイムスリップして３ＤのＩＭＡＸシアターで当時の中国を見ているような気分であった。

『史記』に俄然興味が湧いたので、早速、大学からの帰り道に、吉田山の裏手にある中国書籍専門の朋友書店に立ち寄った。棚には、中華書局版の二十四史がずらりと並んでいた。『史記』は10冊で、定価は10元と書いてはあるものの、日本円では何と５０５０円であった。今から四十数年も前の話なので、結構高い買い物ではあったが、奮発して購入することにした。こうして、初めて全ページ漢字だらけの『史記』（中華書局）を手に入れたのであった。

下宿に戻って、早速いくつかの巻を拾い読みした。とりわけ、高校の漢文の教科書に載っていた「刺客列伝」の予譲の部分は感慨深かった。というのも、高校時代、私は漢文が苦手だったが、故事成句は気に入っていて、予譲《よじょう》の名せりふ「士為知己者死、女為説己者容」（士は己《おのれ》を知る者のために死し、女は己を悦ぶ者のために容《かたち》づくる）は暗記していたので、この部分を見出した時は、「ようやく本物に出会えた！」と感激した。しかし、正直なところ、当時の私の漢文力はまだまだ低く、とても原文を完全に理解することはできなかった。ただ、刺客列伝の部分は内容をきっちりと覚えていたため、文章の意味を理解するのにさほど困難を感じなかった。あといくつかの巻を拾い読みしたものの、まだ当時は、全巻を通して読むことはできなかった。

その後、社会人となって2年目に社内留学制度に合格してアメリカに留学できることになった。その際、「今後2年間は日本を離れることになる。本はあまり持っていけない、読み残したものはないだろうか？」と考えたところ、司馬遷の『史記』の原文をまだ全部は読み終えていないことに気付き、急遽、中華書局版の『史記』を最初から読み始めた。

『史記』はそれまでに日本文で何度も読み、ストーリーをほとんど暗記していたおかげで漢文でもかなりスラスラと読めた。当時、留学のために、英語のテスト（TOEFLやGRE）の

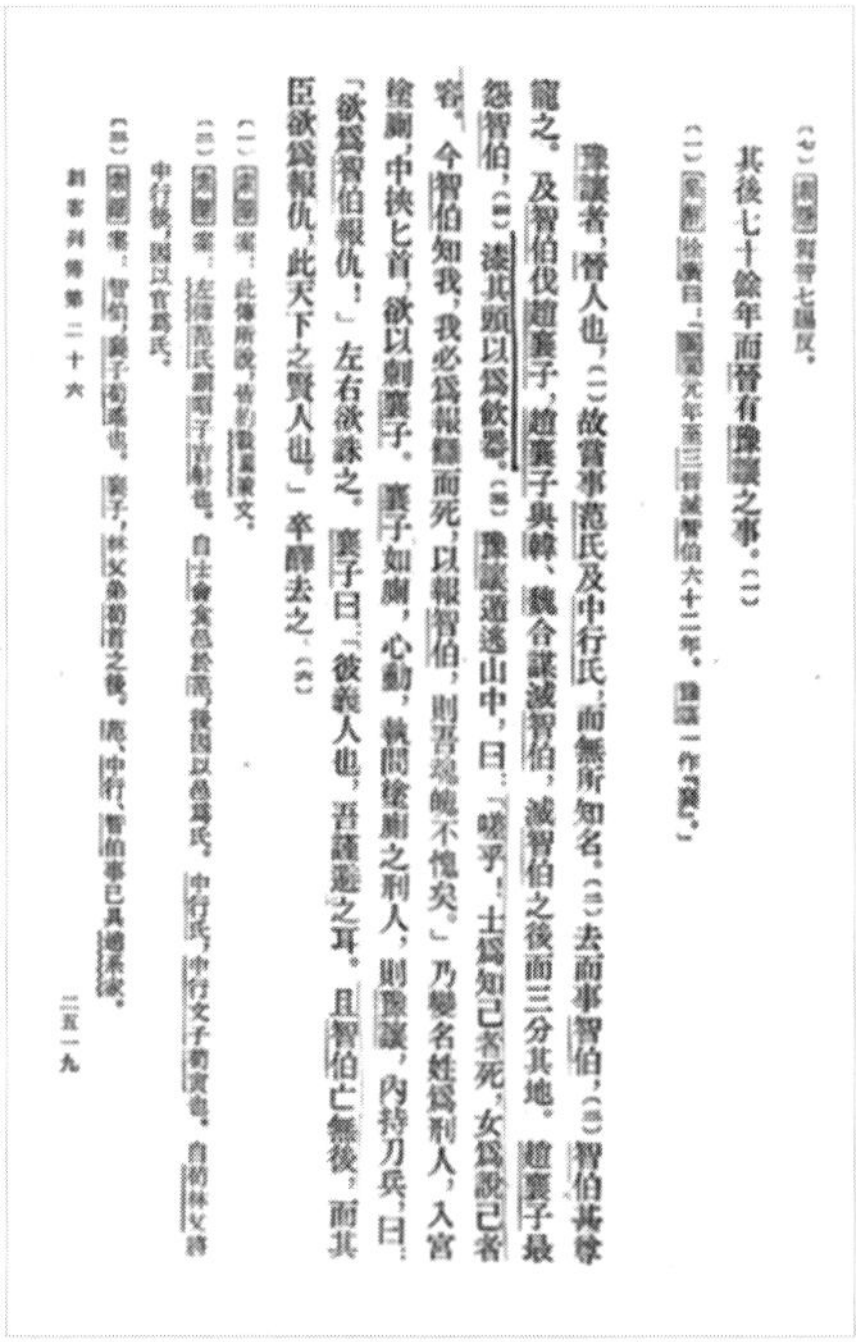

其後七十餘年而晉有豫讓之事。

豫讓者，晉人也，故嘗事范氏及中行氏，而無所知名。去而事智伯，智伯甚尊寵之。及智伯伐趙襄子，趙襄子與韓、魏合謀滅智伯，滅智伯之後而三分其地。趙襄子最怨智伯，漆其頭以爲飲器。豫讓遁逃山中，曰：「嗟乎！士爲知己者死，女爲說己者容。今智伯知我，我必爲報讎而死，以報智伯，則吾魂魄不愧矣。」乃變名姓爲刑人，入宮塗廁，中挾匕首，欲以刺襄子。襄子如廁，心動，執問塗廁之刑人，則豫讓，內持刀兵，曰：「欲爲智伯報仇！」左右欲誅之。襄子曰：「彼義人也，吾謹避之耳。且智伯亡無後，而其臣欲爲報仇，此天下之賢人也。」卒醳去之。

刺客列傳第二十六　二五一九

魂がぶち抜かれるほどの強い
衝撃を受けた『史記』
出典：著者所有本　中華書局（P.2519）

準備をしなければいけなかったのだが、今一つ気分が乗らなかったので英語は放っておいて、毎日のように何時間も漢文の『史記』を読み、留学前までにようやく全巻を読み終えることができた。読み終えると、日本語で読んだ時よりも一層大きな衝撃を受け、「夏目漱石が英文学を頼りなく思った気持ちはこんなものだったのか」とも思った。というのは、漢文のもつリズム感や美しく整列された文字列は、視覚的に感動的を呼び起こすが、欧文ではとてもそこまでは至らないということを実感したからだ。

その後、序章で述べたように本格的に漢文を読めるようになったおかげで漢文の歴史書をかなり多く読んだが、これも漢文の『史記』から受けた大きな衝撃の賜物であった。

司馬遷は通常、歴史家といわれているが、ジャーナリストと呼ぶのが相応しい。歴史家は書物を調べて書くことを本務とするが、ジャーナリストは現地に出かけたり人に取材して書く。『史記』の中には司馬遷が実際に取材した話がいくつもでてくる。当時は、漢の成立後まだ100年ほどしか経過していなかったので、漢の高祖・劉邦の幼な友だちの子孫などが数多く生存していた。司馬遷は彼らへのインタビューから得た生の情報を書いている。

こういった彼独自の調査結果や思想を盛り込むために、司馬遷は「紀伝体」という新しい記述方式を生みだした。「紀伝体」は「本紀」と「伝記」から成りたつが「本紀」には帝王の話、「伝記」には政治家、役人、一般庶民に至るまで幅広い。さらに諸侯の「世家」、歴史年表の「表」や経済白書のような「書」も付け加えた。『史記』には、神話時代から漢の武帝の時代までのことが記述されており、いろいろな時代の出来事を書いているので「通史」といわれる。

もっとも、帝王の事績である「本紀」には司馬遷の想いはあまり感じられないが、「伝記」には、司馬遷の情熱がほとばしっていることから、**『史記』は歴史書というより「思想書」といってよいだろう**。

『史記』以降、中国の正史はすべて「紀伝体」の形式に従って書かれ、王朝が滅ぶと、後の王朝が前の王朝の歴史を書くという伝統が生まれた。このようにして、清の時代に編纂された『明史』まで延々「二十四史」が作られ、すべてを合わせると膨大な字数で、ざっと2400万文字にもなる世界最大の歴史書シリーズである。世界中どこを見渡してもこれほどのものは存在しない。中国思想の枠がこの二十四史につまっている、といっても過言ではないだろう。

『資治通鑑』

数多い中国の歴史書の中でもピカイチと評価されているのが、北宋の時代に完成した『資治通鑑』という書だ。これは、『二十四史』の内、北宋までに完成していた『十七史』をベースにして作られた。『資治通鑑』は『史記』以降の「紀伝体」の文章を、再度「編年体」に組み直して記述している。全部で294巻にもなる膨大な書で、紀元前403年から紀元後959年までの1362年間、ざっくり言って1400年間の歴史が1万ページにもわたって記述されており、登場人物が推定5万人にもなろうかという、とてつもない大作である。

この本は司馬光が、皇帝に歴史の流れを理解してもらうために中国の歴史を「通史」としてまとめたものだ。皇帝はこれを読み、気に入ったので続編を書くように指示した。司馬光は潤沢な資金援助と優秀な助手の支援を受けて、足掛け20年にわたって編纂に従事した。そして『資治通鑑』が完成したとき、司馬光はへとへとになり「臣の精力、此書に尽く」と述べたという。

この言葉が単なる修辞でないことは、実際、司馬光が『資治通鑑』を完成させて2年後に亡くなっていることで推察できる。

『資治通鑑』の価値は、元の胡三省が30年もかけて付けた注釈のお蔭で一層高まった。それも、一度完成させた注釈を戦争のために失ってしまったが、胡三省はくじけず再度新たに稿を起こして完成させた。注釈は300万字の本文に匹敵する膨大なもので、なんとも中国人の執念深さがよく分かる話である。

ついで、朱子は『資治通鑑』から朱子学的な大義名分に合致するように内容を簡略化して『資治通鑑綱目』という本を作って広めた。これが日本に渡り朱子学を学ぶ者にとって議論の一つの拠り所となった。

従来日本では、『資治通鑑』は主として思想面（朱子学的名分論）で高く評価されてきた。しかし、『資治通鑑』を単に思想面からしか見ないのは非常に残念である。その理由を料理に喩えて考えてみたい。

料理の専門家は、味もさることながら先ずは栄養価が高く、そのバランスのとれた料理を作ることに苦心することだろう。しかし料理を食べる人にとっては、栄養が高くて体に良いからといって必ずしも好きになるとは限らない。それよりも味や見た目の華やかさ、つまり栄養価そのものより、「料理を味わう」ことを求めるに違いない。これと同様に、**『資治通鑑』にも思想よりも文章そのものを味わうという鑑賞の方法が存在するはず**で、ここではそのような鑑賞の仕方を述べてみたい。

かつての中国社会をバーチャルに体験

政治や戦争だけでなく、市民生活に至るまで網羅的に記述してある『資治通鑑』を読むと、当時の中国人の生活をいわばバーチャルに体験できる。それ故、『資治通鑑』を読む面白さは、あたかも自分がその世界にいるようなバーチャルな体験をしながら、自分の感覚で中国を知ることにあると言える。その例を三つばかり挙げてみよう。

仏教の弾圧

歴史の授業では「三武一宗の法難」を習う。つまり四人の皇帝が仏教を弾圧したということだが「法難」という言葉から「仏教徒がいじめられ、寺院が壊された」と、いかにも皇帝たちが一方的に仏教徒を弾圧したように感じることだろう。しかし、『資治通鑑』から当時の庶民の生活を読み、「仏教は人々の生活をどのように変えたのか」を考えて欲しい。『資治通鑑』の巻292（紀元955年）には当時の様子が次の様に描かれている。

『資治通鑑』
この大著を読まずして中国は語れない
出典：不明

僧俗の身を捨てて自分で手足を切断したり、煉指、掛灯、帯鉗の類を行い、世間を幻惑する者は処罰する

ここで言う、「煉指《れんし》」とは、指に紐を巻きつけて油を注ぎ、それに火を点けることをいう。指が焼けるので非常な苦痛をともなうが、当時の仏教徒は苦痛を受けることで魂が清められる、という間違った観念を持っていた。

これと同様の考えで行われたのが、掛灯《けとう》・帯鉗《たいけん》で、自分の肌に直接フックのついたロウソク立てを懸け、それにロウソクを灯すという苦行だった。人間提灯になって経典を読むと、身が清められると信じられたわけだが、こうした非人道的な行いを聞き知った皇帝は、そのようなバカな真似はするな、と禁止したのだった。

仏教弾圧のもう一つの理由は、税金逃れの為に僧侶や尼になった多くの農民を還俗（一度出家した者が元の俗人に戻ること）させるためだった。これも当時の度重なる悲惨な天災の様子を知れば、庶民が税金逃れに走る心情も良く分かる。しかし、税金逃れをする者が増えれば、残りの農民にさらに重い税が掛かることから、皇帝の意図も理解できる。

このように、歴史の授業で習う「中国の皇帝が仏教を弾圧した」という文句だけを覚えても、本当の事情は分からないし、政策の当否の判断はできないだろう。**しかし、『資治通鑑』の文**

章を読み、当時の様子をバーチャルに体験すれば、自分自身で歴史を見る眼を養うことができるはずだ。

二色の会計簿

次は会計簿の収入と支出を二色を使って分けることで、一目でどちらの数字であるかを分かるようなアイデアを出した役人についてである。『資治通鑑』の巻１５７に蘇綽《そしゃく》という者が「多色の会計簿」を考案したという記事がある。彼はさまざまな経済改革を行い、その一環として、収入は墨（黒）で書き、支出は朱（赤）で色分けして書くことを発案した。このシステムは好評だったらしく後世まで使われたという。当時の政治経済の大きな流れは知っていても、実際人々がどのように暮らしていたのか、まったく知らないのが実情であろうが、『資治通鑑』の記事はそうしたギャップを埋めてくれる。

中国の官僚・公務員の実態

現在の日本では、公務員になりたい若者が多いようだ。その理由は、収入・地位が安定している上に、仕事もそれほど過酷ではないというのが志望の理由らしい。現代の日本では民間のほうが公務員より多忙のようだが、昔の中国ではそうではなかったようだ。

南北朝時代、梁に徐勉という役人がいた。仕事が忙しくずっと、役所に詰めていて久しぶりに自宅に帰ったところ、飼い犬たちが驚いて吠え立てたという話が、『資治通鑑』の巻145にある。飼犬たちに顔を忘れられたために吠えられたということから数ヶ月、あるいは1年近くも家を空けていたことが推察できる。当時の中国の役人の中には、朝から晩まで働いて長期間家に帰ることができなかったほど忙しい人もいたということだ。

当時の役人の生活実態を知ることができるもう一つの例を挙げよう。同じく『資治通鑑』の巻145に周捨という梁の役人の話がある。20年もの間、国家機密に携わる職に就いていた周捨は友人たちと談笑しても、一度たりとも国家機密を洩らさなかったので誰もが敬服していた。

公務員は機密情報に触れる機会が多いものだが、他人が知らないことを自分は知っているというのは「王様の耳はロバの耳」の童話にあるように、無性に誰かに話したくなるものだ。家に帰って奥さんと話をしたり、友人と酒を飲んだりした時に「ところで、ここだけの話だが…」と言って、つい口を滑らしてしまうのが人情だ。ところがこの周捨という人は口が堅く、どんなことがあっても一切、国家機密を漏らさなかったそうで、時代や民族を越えて彼の言動から人としてのあり方を教えられる。

残酷な場面の描写が多い『資治通鑑』

日本では、中国の古典というと『論語』を思い浮かべる人が多いだろう。『論語』は江戸時代の伊藤仁斎を初め、明治時代の渋沢栄一など日本人にとって道徳の手本となっている。しかし、『資治通鑑』を読んで分かったことは、現実の中国はとても『論語』にでてくるような暖かな仁にくるまれた世界ではなく、悲惨と残酷とに尽きるかわいそうな世界であった。

日本では戦国時代といえば、諸大名が戦争に明け暮れた一番悲惨な時代のようにいわれるが、実際には人口が増加した高度成長時代ともいえる。つまり、庶民の生活は苦しいとはいえ、飢え死にするほどではなかった。これに比べて、中国では、全体的に平和に見えても、部分的には日本の戦国時代など、とても及ばないほどの悲惨な生活が続いていたことが『資治通鑑』から分かる。

このように『資治通鑑』は幅広い内容をもち、通常の意味の歴史書を遥かに超えて、ノンフィクションの文学作品としても非常な深みを感じさせてくれる。その理由の一つは、所々に凝縮された漢文が閃光のように読む者の目に突き刺さるからだ。その例を示そう。

唐の末期に黄巣の大乱が起こった。連戦連勝の勢いに乗って攻めてくる賊軍に、官軍の兵士たちは勝ち目がないことを悟り、戦闘意欲をまったく喪失してしまい、とうとう樹木が生い茂る谷の端に追い詰められた。怒涛のごとく攻め来る賊軍から必死に逃げる官軍の様子は次のように描写されている。

樹木が生い茂り、ツタが木々に張りついて、あたかも壁のようになっているところに官軍の兵士たちは追い詰められた。普通なら、そこから先にはいけないと諦めるところだが、他に逃げ道がなかったので、何千人、何万人という兵が前にいる兵士を踏みにじって、われ先と駆け登って逃げたので、一夜にして竹やぶが真っ平らになってしまった。

その状景を「**一夕《いっせき》にして践《ふ》み坦塗《たんと》となる（一夕践為坦塗）**」と、わずか6文字でくっきりと表現しているのが、『資治通鑑』の文章の凄さである。

日本では不人気、中国で大人気の『資治通鑑』

このように『資治通鑑』には普通の歴史書のような政治的な事件や戦争にまつわる話だけでなく、大衆の暮らしぶりや、天体の運行（日食、月食、惑星）、地理的なことなど、非常に幅広い内容が書かれており、それも、善悪を問わず網羅的に書かれているのが特徴である。日本の歴史では、悪いことはかなり意図的に隠蔽されているケースが多いが、**中国では悪事もきっちり書き残しておくというのが伝統である**。

ところで『資治通鑑』は中国では絶大な人気を誇る。中国のアマゾンのサイトでは、数多くの『資治通鑑』の関連本が紹介されていて、2020年現在、その数は約500冊にも上る。中には『資治通鑑』の全文を現代文（白話）に訳し、難しい語句には注釈をつけた全注全訳本もある。こうしたことから、『資治通鑑』は現代中国において、歴史書というよりエンターテイメントという感じで読まれている人気本であることが理解できる。

一方、日本では『資治通鑑』が江戸時代によく読まれたと言われているが、現在の日本ではほとんど読まれることがない。そのため、日本では抄訳として刊行されているものは数冊に過ぎず、分量が多いため現時点（2020年）では全訳の本は存在していない。ただ、大正から昭和の初めにかけて出版された『続国訳漢文大成』の漢文書き下し文で全文を読むことは可能である。幸いにもこの本は国立国会図書館のデジタルコレクションに入っていることから、PDF形式でダウンロードして読むこともできる。また、平凡社の『中国古典文学大系　資治通鑑選』は各王朝の概略と、司馬光の論賛を収録しているが、なんとも中途半端な感じがする。他に、抄訳本として明徳出版社や、ちくま学芸文庫のものがあるが、残念なことにいくつかの政治的な事件の記述が主体で、当時の生活実態をバーチャルに体験できる個所は極めて少ない。それ故、これらの抄訳本を読んだ人は「資治通鑑は史記よりあじけない歴史書だ」と感じたのではないだろうか。

ところで『資治通鑑』のような歴史書に限らず、中国の古典はいずれも知識人が読むことを前提に書かれている。つまり、現代風にいうとリーダーのあり方を述べている「帝王学」の書ということである。日本は中国と比べると際立ったリーダーの数が少ない国であったといえる。一方、中国は国土の大きさだけでなく数多くの異民族が入り乱れた国であったので、策略に富み、強力なリーダーシップを必要とした。そうした意味で、中国の歴史書は基本的に社会のリーダーになる志をもった人間が読むべき書であったわけで、なかでも1400年の長きにわたる中国の歴史の実相を描いた『資治通鑑』はとりわけリーダーに愛読された。

私は十数年前に足掛け数年かけて（ただし、実質1年で）この大著を通読したが、資、量ともに他の歴史書を圧倒する内容に、**「資治通鑑を読まずして中国は語れない、そして中国人を理解することも不可能である」**と強く感じた。

それ故、私は『資治通鑑』の凄さを知ってもらうために、浅学を顧みず『本当に残酷な中国史』（角川新書）、『世にも恐ろしい中国人の戦略思考』（小学館新書）、『資治通鑑に学ぶリーダー論』（河出書房新社）という三冊の本を上梓した。いずれも抄訳本ではあるが、これらを読めば、なぜ『資治通鑑』が中国人に愛読されているのか、またなぜ私が『資治通鑑』を強く勧めるのかという理由も分かっていただけるものと思う。

日本史の概観

日本列島に人間が住みだしたのは3万年ほど前の旧石器時代からと言われている。文書としては奈良時代になって『古事記』や『日本書紀』を初めとした六国史など漢文で書かれた歴史書がいくつか作られた。平安時代になると漢文ではなく和文で『大鏡』などの歴史物語が書かれたが、いずれも歴史書というより文学書といったほうがよいような内容となっている。

鎌倉時代には『吾妻鏡』という鎌倉幕府の記録書がある。ずっと以前から気にかかっていたが、最近ようやく通読した。実に素っ気ない官報的な文章が並び、歴史書というより鎌倉武士の日記、あるいは行状記というような趣を感じさせる。中国の史書には、世間の実態の細かい描写と共に、人々の言動に対して理念的な善悪を論じる点がところどころに見られるが、『吾妻鏡』にはそういった理念的な記述は乏しい。また、中国の史書と比較して『吾妻鏡』には人名の羅列が非常に多く見受けられ、祭の行列や儀式の参加者の名前がそれこそ何ページにもわたってずらずらと書かれている。それも、ランクの高い人だけでなく随行員のような、姓すらない身分の低い者の名前までもが書かれており、こうした細かな点から鎌倉時代には何が一番大切にされていたかということが手に取るように分かる。

江戸時代になると、水戸藩主・徳川光圀の命で歴史的資料が網羅的に集められ、全編漢文で書かれた大規模な日本の歴史書『大日本史』が編纂された。それまで日本の歴史書は主に「編年体」で編纂されていたが、『大日本史』は「紀伝体」で編纂されている。「紀伝体」の「紀」は天皇を、「伝」はそれ以外の皇族や民間人を指す。残念なことに、『大日本史』は今なお現代語訳されていないので、容易に読むことはできない。一方、中国の歴史書の『資治通鑑』は、『大日本史』の倍以上の分量であるにも拘わらず、何回となく現代語訳されている。この差は中国人と日本人の自国の歴史に対する重要視の違いからくるものと考えられる。

日本史の新しい読み方

本項では日本の歴史書について述べるが、教科書的にずらずらと列挙しても退屈であろうから、日本史の新しい読み方を二つ提案してみたい。

一つは推理小説のように、ある仮説を立てて文献をベースにしてその仮説を検証していく読み方である。歴史というのは書き手の主義や主観が色濃く入っているので、必ずしも事実通りではない。あるいは、現代人にとっては謎のようなことでも当時の人にとっては当たり前すぎて書かれなかったことも多い。歴史の記述を額面通り受け取るのではなく、疑問を解く鍵を提供してくれる資料として読んでみると、まったく違った景色が見えてくる。その一例として、ここでは『日本書紀』の記述をベースにして日本武尊《やまとたけるのみこと》の東征の目的を推理して見よう。

もう一つの読み方は、日本史のある出来事を異なった文化背景、時代背景を持つ他国の歴史と比較することである。類似の現象を比較することで、歴史的事象を複眼的な観点から見ることで平板に見えた記述が立体的に見えてくることを実感して欲しい。

『日本書紀』から読み解く日本武尊の東征の目的

日本は、縄文期にすでに稲作があったが弥生時代に入って稲作が全国的に普及したため人口が急拡大したことが知られている。また朝鮮半島や大陸から多数の人々が渡来して日本に住み着いた。そして時代は、邪馬台国や卑弥呼の時代のあと、神武東征に続くヤマト王朝成立へと進んでいった。しかし、こういった弥生文化とヤマト朝廷を主体とした歴史観について、私は以前からどうも納得できないものを感じていた。それは、ヤマト朝廷が天皇の権威を示すために、巨大な前方後円墳を建造したことに関連する。

その建造の目的があいまいである点はさておき、問題は大量の労働者をどのようにして集めたかという点だ。例えば、仁徳天皇陵に、推定延べ200万人もの労働者が従事したといわれているが、当時の人口分布から考えて非常に不可解な点がある。鬼頭宏の『人口から読む日本の歴史』（講談社学術文庫）に載せられている日本の人口に関する推定データによると、次のようなことが分かる。

1．縄文期（紀元前）の総人口は10万人から30万人弱。その9割が北陸・東海以北に住む。とりわけ、奥羽・関東に人口が多い。

2．弥生期（紀元2世紀）の総人口は60万人。北陸・東海以北が50％、畿内とその周辺が20％、山陽・山陰以西が30％。

3．奈良期（紀元725年）の総人口は450万人。北陸・東海以北が45％、畿内とその周辺が20％、山陽・山陰以西が35％。

これらの情報から分かるように、縄文期には畿内は人口の超過疎地だった。畿内に人口が集まりだしたのは弥生期の稲作が始まって以降である。鬼頭氏の推定人口が正しいとすると、紀元2世紀から奈良朝までの500年間に畿内の人口は80万人近く増えたことになる。これは単なる自然増加の数値なのだろうか、それとも別の理由なのだろうか？

古墳建築の労働者はどこから？

タイムマシンに乗って古墳時代に戻ったとして考えてみよう。

整備された街道も旅館もない古墳時代の日本では、人の移動は非常に困難であったことが容易に推測できる。それ故、古墳の建造のような大規模な土木工事に必要な労働者を集めるのは大変難しいことであったはずだ。とすれば仁徳陵の建造に携わった延べ200万人もの膨大な人夫をどこから集めてきたのだろうか？

当時、人口過疎地帯であった畿内にはそれだけの人口はいなかった。つまり人夫は人口過剰地から呼び寄せた、と推測できる。しかし、だれが呼びよせたのだろうか？

この謎を解く鍵は日本武尊の熊襲《くまそ》と蝦夷の征伐にあると考えられる。通常、日本武尊の遠征は、大和朝廷の権力を固めるための武力平定だと考えられているが、当時の日本の実態を想像するとこの説がおかしいことが分かる。というのは、遠征隊が遭遇したであろう次の3点について考えてみると明らかになる。

1. 一面が樹海のような日本列島
2. 食糧と宿泊の確保
3. 少人数、低い戦闘能力

1. 一面が樹海のような日本列島

富士山の麓に樹海（青木ヶ原樹海）と呼ばれる場所があり、太古の原生林を髣髴とさせるように樹木が密生している。昔、一度行ったことがあるが、規定コースを外れると下草が邪魔をして数歩進むにも苦労したので、人手がまったく入っていない自然の森の様子を体感することができた。古墳期の日本は総人口200万人から300万人程度の過疎状態であったことから、当時の日本列島は一面この樹海のような状態だったと考えられる。至るところ樹齢数千年という大木が林立し、誰も刈ったことのない下草が繁茂していたはずだ。

例えば、『日本書紀』には、日本武尊の一隊が帰り道に信濃に分け入った時の苦労するようすが次のように記されている。（巻7・景行天皇）

「ここで道を分けて、吉備武彦を越の国に遣わし、その地形や人民の順逆を見させられた。日本武尊は信濃に進まれた。この国は山高く谷は深い。青い嶽が幾重にも重なり、人は杖をついても登るのが難しい。岩は険しく坂道は長く、高峯数千、馬は行き悩んで進まない。しかし日本武尊は霞を分け、霧を凌いで大山を渡り歩かれた。嶺に着かれて、空腹のため山中で食事をされた。」（現代語訳：『日本書紀』上、講談社学術文庫）

このように陸路は大変な困難を伴ったので、日本武尊の遠征は今から考えるとかなりの至近距離でも船で海路を行ったと思われる。

2．食糧と宿泊の確保

日本武尊一隊が陸路を行った際、食糧はどのように入手したのだろうか？　また土地勘のない場所でどのように寝泊りしていたのであろうか？

当時の日本は人間が住めるところと言えば、海岸沿いか川の渓流沿いであったはずだ。つまり水があり、歩行が可能な草地が少しでもある場所に限られていた。稲作は始まっていたとはいえ、米を簡単に入手できる状態でなかったはずだ。つまり、旅人は食糧確保に関しては農耕以前の狩猟・採集の状態であったわけで、旅をしながら（つまり宿を探しつつ）日本列島を旅行するというのは、今からは想像できない程の困難を伴ったことだろう。

3. 少人数、低い戦闘能力

道路もない上に、宿泊所も食糧も得難い状態では、大人数で諸国を何か月も放浪するのが極めて困難であることは以上のように冷静に考えてみれば当たり前の話だ。つまり日本武尊一隊は極めて少人数で遠征したと推察される。焼津で賊から野火を放たれて危く焼き殺されそうになった時に、迎え火と草薙の剣でようやく窮地を脱することができたが、直ちにひき返して、「尽くその賊衆を焼き、これを滅す」と、あたかも賊を徹底的にやっつけたかのような武勇談が得々と語られている。こんなはずはなく、実際は、大勢の敵に囲まれた中をほうほうの体で逃げ帰ったのだろうと私は推測している。単純に考えて、現地の人間のほうが圧倒的に数が多い上に、土地勘もあり、戦闘道具もふんだんにあっただろう。これに少人数の日本武尊の一隊が戦争を挑んで勝てる道理がない。

以上のような点から、日本武尊の遠征は武力平定という暴力的なものでないことが明らかである。とすると彼の遠征は何を目的としていたのだろうか？

その答えは、応神・仁徳の大きな古墳にある、と私は推測する。つまり人口の少ない畿内で、この大土木工事を行うために日本武尊は人集めのリクルート隊として派遣されたのではなかろうか。日本武尊から見て、応神天皇は孫、仁徳天皇はひ孫にあたる。この二人の時代になってようやく日本武尊のリクルート隊のおかげで、人口過多の東北・関東から人口過疎の難波に人が移動してきたのだ。ちなみに日本武尊の人集めの宣伝文句は次のようではなかっただろうか。

○干拓した土地は私有財産に！
○先進的な農業（稲作）・土木（干拓）技術を無料で伝授！
○先進的な冶金技術も無料で伝授！

これらの先進技術は日本武尊の先祖たちが技術の先進地域である九州で会得して畿内に持ち込んだものだった。いずれもまだ東日本には伝播していなかった最新の技術であったので、昔から新しいものが好きな日本人は、それっと飛びついて、アメリカの西部開拓のように未開の地、畿内へと続々と移り住んだのではないかと推測される。

以上、述べたように、日本武尊の東征にまつわる神話は、必ずしも荒唐無稽なフィクションではなく、実際の出来事を当時の価値観でまとめたものだと考えられる。字面だけを追って現代的価値観で解釈しようとするから神話の真意は理解できないのである。**当時の生活の実態を思い浮かべながら、論理的に解釈すると正しい姿が見えてくるはずである。**

『大日本史』

『大日本史』は国初から室町初期（１３９２年南北朝の統一）までの千数百年の歴史が書かれている唯一のまとまった日本の歴史書である。その編纂には入手できる限りの日本の歴史資料を集めたと言われる。それらを互いに考証し、極めて学術的価値の高い内容を盛り込んだのが『大日本史』である。

もっとも、文章は漢文で書かれているので、おいそれと読むわけにはいかない。というのも、収集した資料の中には六国史のように漢文のものもあるが、多くは和文であったのを、司馬遷の『史記』に心酔していた徳川光圀が、水戸藩の儒者たちを使って漢文に書き直させたからだ。そのせいで、なかなか現代語訳される気配がないのは、誠に残念だ。

私は十数年前に**山路愛山が書き下し文にした『訳文　大日本史』を読み内容の立派なことに感嘆した。**それはともかくとして、『大日本史』には数百もの歴史書のエッセンスがつまって

現代語訳がないため読むことができない
名著『大日本史』
出典：http://www.kyouikuisan.jp

いるので、日本史全体を通観することができる。そこで『大日本史』の記事と他の民族の歴史書の比較を試みてみよう。

美しい人妻を強奪した王たち

以前、『旧約聖書』を通読した時から、この本に「聖なる書」という名前をつけるのはふさわしくないと思っている。それは、『旧約聖書』には聖なる行為より、悪に満ち満ちている行為がかなり多く描写されているからで、その記述姿勢や文体は、中国の古典でいうと『春秋左氏伝』に似ている。

例えば、地中海世界にはソロモンの栄華というイスラエルの民の黄金期があって、その豪華さは近隣の諸国のみならず、遠くまでなり響いていた。ソロモンの知恵と豪華さに興味をもったシバの女王は、自分の豪華さと比べるため、遠路はるばるエルサレムを訪れたが、噂に違わずソロモンのほうが自分の国より遥かに豪華なことに驚嘆した。

　このソロモン王の父親がダビデ王で、母親はバト・シェバといい、もとはダビデ王の部下であるウリヤという兵士の妻であった。ある時、ダビデが王宮の屋上を散歩していてバト・シェバが入浴している姿をちらりと見た途端に彼女に恋をしてしまい、夫から奪いとって我が物にしようとたくらんだ。ウリヤを戦争の前線へ送り、見捨てるように隊長に指示をした。ダビデの目論見どおりウリヤは戦死した。このようにして、世にも陰険な手段で強奪したバト・シェバから生まれたのが、ソロモン王だった。（サムエル記・下・第11章）

　このダビデ王と同じく、陰険な手段で不品行を働いた王がわが日本にもいた。それは、武力に優れているということから雄略帝という謚号が奉られた大王《おおきみ》のことで、彼に関わる『大日本史』（巻75）の記事を見てみよう。

吉備稚媛《きびのわかひめ》は雄略帝の妃であった。初めは吉備田狭《きびのたさ》に嫁いで男の子を二人儲けた。あるとき、田狭が宮中で宿直《とのい》をしていた時に、同僚に自分の妻の美貌を、世界一だと自慢した。通りすがりにそれを耳にした雄略帝は、奸計をめぐらし、田狭を大和から追い出すために朝鮮半島（任那）の国司に任命し、吉備稚媛を奪い取った。

　だが結局、策略を用いて強奪した妻から生まれた雄略帝の二人の皇子は、反乱に失敗して母もろとも自殺する羽目になった。悪事は遅かれ早かれ天罰を逃れることができないということかもしれない。

最後はギリシャの話だ。『ヘロドトスの歴史』（巻1）にリュディアのカンダウレス王の話が載っている。カンダウレス王は部下のギュゲスに妻の豊満な美しい裸身を誇らしげに見せたくてしかたがなかった。ギュゲスはそれだけは勘弁をと願ったものの、王は高圧的に「見ろ！」と迫った。ギュゲスはしぶしぶ王の要求に従うことにしたが、「王様、女は着物と共に恥じらいをも脱ぎ捨てるものですぞ」と、カンダウレス王の身に降りかかるであろう災厄を予言した。

結局、裸身を見られた王妃は、こうなったからにはギュゲスが死ぬか、王を殺すか、の選択をギュゲスに迫った。ギュゲスはカンダウレス王を暗殺し、美人の王妃だけでなくリュディアの領土も手に入れた。

以上三つの話はいずれも美しい人妻が厄災をもたらしたというものだ。これらの話から得られる教訓は、妻をめとるなら美人は避けよ、あるいは美人の妻をめとっても人には自慢するな、のどちらかだろう。

北条時頼の母とユダヤ人の倹約

鎌倉時代の第五代執権の北条時頼は名君との世評が高い。しかし、30歳にもならないうちに病気のため引退し、水戸黄門のように諸国を巡察したといわれていて、『大日本史』（巻201）

にはその様子が次のように描かれている。

時頼は執権を辞職した後、地方の役人が庶民をいじめていないかを見るため、粗末な服を着て僧の風体で諸国を巡回した。たまたま摂津の難波にさしかかったところ、日が暮れてしまったので、ある家に泊めてもらった。その家は壁が傾いてくずれており、老尼が一人で住んでいたが、自ら飯を炊いて出してくれた。時頼はその尼が食事の用意が不慣れなのを怪しんで尋ねたところ、尼は、はらはらと涙を落として、こういった。「私の家は、先祖代々この村を治めていました。しかし夫と息子が亡くなってから没落し、とうとう他人に奪われてしまいました。どこにも訴えようがなく、一人で20年住んでいます。財産と言えばこの身一つです」

時頼はこれを聞いて不憫に思い、鎌倉に戻ると早速その村を老尼に取り返してあげた。この時頼の母・松下禅尼の美談が、吉田兼好の『徒然草』（第184段）に載せられている。

松下禅尼が古い障子の破れた部分を張り替えていた。それを見た、禅尼の兄の安達義景が、全部一遍に張り替えればいいではないか、と言ったところ、禅尼は、息子の時頼に倹約の大切さを教えたいと答えた。この話を聞いた兼好は禅尼を次のように誉めている。「女性《にょしょう》なれども、聖人の心に通へり。天下を保つほどの人を子にて持たれける、まことに、ただ人にはあらざりけるとぞ」

政界の頂点に立てば、おべっか使いばかりで、親身になって耳の痛い忠告をしてくれる人は少なくなる。知らず知らずのうちに贅沢に染まり、倹約など忘れてしまう。そして、いつの間にか国家財政が危機に瀕し、ついには破滅してしまうのが、歴史の常であろう。

賢明な松下禅尼は「堤防は蟻の穴から崩れる」の例えのように、倹約も些細とも思えるところから始めないとだめだという理《ことわり》を無言で息子の時頼に教えたのだった。

次にユダヤ人の倹約振りをみてみよう。ユダヤ人は今でも、数千年も前の先祖の苦労をしのび、過ぎ越しの祭り（Pesach, Passover）を祝っている。『旧約聖書』には、ユダヤ人たちは奴隷として酷使されていたエジプトをモーゼに率いられて脱出したとある。しかし、あまりにも急いでいたので、パンに酵母を入れ忘れてしまった。『旧約聖書』（出エジプト記）にはその時の様子が次のように記述されている。

彼らはエジプトから持ち出した練り粉でパンを焼いたが、練り粉には酵母が入っていなかった。その訳は、彼らがエジプトから追放された時、ぐずぐずしていることはできなかったし、道中の食糧を用意するいとまもなかったからである。

先祖のこの時の苦労を忘れないようにするため、ユダヤ人は過ぎ越しの祭りのあいだ、酵母なしの不味《まず》いパンを先祖と同じく七日間食べなければいけないと定めた（『旧約聖書』申命記）。

ユダヤ人がモーゼに率いられてエジプトを脱出したのは紀元前13世紀のことだと言われている。それから数千年、彼らは毎年ずっと先祖の苦労を偲んできたわけだ。それに比べると、時頼の母は倹約を息子に教えたが一過性であったようだ。ユダヤ人が過去数千年にわたる過酷な迫害にも耐え、現在もなお繁栄している点に我々日本人は学ぶものがある。

夫と兄のどちらを取るか？

日本史には天皇のことはよく出てくるが、皇后のことはほとんど出てこない。まるで皇后という人たちは名前だけで実存しなかったかのようだ。しかし言うまでもなく、各天皇には正妻である皇后も含め複数人の女性が妃として仕えていた。

『大日本史』は、それらの女性の伝記をかなり網羅的に列挙している。ただし、皇后は誰の娘であるという家系と誰（親王、内親王）を生んだという素っ気ない記述だけのものが多い。それだけの記述で終わっている人たちにしても、人生ドラマがあったはずだが、それを書き残す人がいなかったのだろう。とはいえ、中にはあたかも小説になりそうなドラマチックな人生を送った后妃もいた。『大日本史』（巻74）に登場する垂仁天皇の皇后、狭穂姫《さほひめ》、別名、佐波遅媛《さわじひめ》がそうだ。

狭穂姫皇后の兄の狭穂彦《さほひこ》が帝に対して謀反を企てていた。折をみて、妹の后に「兄と夫のどちらを大切と思うか？」と尋ねた。后は質問の意図を図り兼ねたが、すぐに「もちろん、お兄さまです」と答えた。兄はそこで、妹を謀反に引き入れようとしてこういった。「お前は、いまは美貌で帝に好かれているが、年を取ると若くて美しい者に取って代わられるぞ。いまこの兄と一緒になって、后の位を永久に保てるようにしたくはないか？」と言いながら短剣を后に手渡した。

つまり、兄の狭穂彦は垂仁帝を暗殺して、妹の息子（譽津別命《ほむつわけのみこと》）を擁して権力を手にしようとたくらみ、「血のつながっている兄とそうでない夫のどちらを大切に思うか」と妹に問いかけて、肉親の愛情で謀反に加わることを強いたわけだ。

后は悶々と思い悩んだすえ、帝が后の膝枕で昼寝をしていた時に殺そうとしたが、どうにも実行できず、流した涙が帝の頬にかかった。それで目が覚めた帝に后は問い詰められて事情を打ち明けた。帝は兵を集めて狭穂彦を攻めた（『大日本史』巻74）。

狭穂彦は兵士を集め、稲《ワラ》を積んで砦を築いて防戦した。これがなかなか頑丈な砦で帝の兵は攻めあぐね、一ヶ月経ってもまだ攻略できなかった。后は「皇后の位にあっても、兄が死ねば面目を失って生きていけない」といって、息子の誉津別皇子を抱いてその城中に入っていった。帝は、兵士を増員して砦を取囲み、皇后と皇子をだせと命じたが、反応がなかった。そこで、攻め手の将である八綱田《やつなた》が砦を火攻めにした。后は使いの者に皇子を抱かせて砦を脱出させ、帝に伝言した。「砦に入ったのは、自分と皇子に免じて兄の罪を許してもらおうと思ったからです。しかし、火攻めに遭って罪を許してもらえないと分かりました。生きて囚われるより、むしろ首をつって死ぬほうがましです」と言って、兄と共に砦の中で自殺した。

これは、兄に強いられて無理やり暗殺計画に加担させられた后の哀れさが身にしみるような話だ。

同じようなストーリーは、中国の史書『春秋左氏伝』（桓公・15年）にもある。

夫の雍糾《ようきゅう》が自分の父を殺そうとしていることを知った雍姫が、母に「父と夫といずれか親しき？」と尋ねた。すると母は「人はことごとく夫なり、父は一のみ、なんぞ比ぶべけんや」と答えた。つまり「世の中の男はすべて夫になり得るが、父親と言うのはたった一人しかいない。

比べるまでもない」と言ったわけだ。この一言で決断した雍姫は父親に夫の陰謀を告げたので、父親は先手を打って夫を殺した。世間は、雍糾が殺されたのは妻に陰謀を相談したからだと鼻で笑った。

これだけであれば、日本や中国で夫より血のつながりのある父や兄弟を重視するのは、儒教の影響だという仮説が成立しそうだ。しかし、これと同じ行動を取った西洋の例を見ると、そうした仮説が正しくないことが分かる。

『ヘロドトスの歴史』（巻3）に次のような話がある。

ペルシャ王、ダレイウスに対して反乱を企てた者がいた。その内の一人、インタフェレネスが一族もろともに逮捕された。するとインタフェレネスの妻が連日王宮の門で泣くので、ダレイウスは一人だけ命を助けてやろうと情けをかけた。暫く考えてから妻は「それでは兄を助けてほしい」と申し出た。夫や子供を差し置いて、兄を助けたいという理由をダレイウスが聞くとインタフェレネスの妻は次のように答えた。

王様、神の思し召しがあれば、夫はまた見つけることはできるし、子供も授かることができましょう。しかし、父母が死んだ今では、ここで失ってしまえば兄弟は二度と得ることはできません。

日本史を読むときに他国の歴史書と比べて読むと、文化背景が異なっても人間として共通の観念や意識を知ることができる。また逆に民族間の大きな意識差も知ることもできて、各国の歴史を単体で読むときに比べて非常に興味深く読むことができる。

『大日本史』にみる胡椒の話

歴史といえば、政治の変遷だけが書かれていると考える人が多い。確かに学校で習う歴史の項目は、戦争や政治で埋め尽くされている。しかし、『大日本史』には政治以外の話も多く、時には当時の人々の暮らしぶりに直接ふれるような記事がある。

例えば、胡椒はインドが原産だが、日本人の中にも胡椒を好む人がいたことが書かれている。つまり平安末期（11世紀）には、すでに胡椒は日本に舶来されていたのだ。当時は大変高価だったにも拘わらず、71代の後三条天皇は青魚に胡椒をいっぱいふりかけて食するのが大好きだったようだ。また後三条天皇よりずっと後のことであるが、日本にキリスト教を初めて伝えたザビエルは、日本に向かう宣教師に「布教の資金を稼ぐためには、日本で高く売れる胡椒をもっていけばいい」と、知恵をつけたことがザビエルの書簡集に書かれている。

「名も知らぬ　遠き島より　流れ寄る　椰子の実一つ」と島崎藤村の詩にあるように、ユーラシア大陸の極東に位置する日本には、南太平洋からの黒潮や台風のせいで様々な物が漂着した。物だけでなく人も漂着していて、中国や朝鮮半島の人のみならず、ペルシャ人とおぼしき人も孝徳帝の白雉五年に日向に漂着している。また、三河に漂着したインド人はたった一人だけ助かったようで哀しげな歌を歌っていたとの記述も残る。

このように本物の史書である『大日本史』には、当時の人々の暮らしぶりが分かる種々雑多なことが書かれていて、読んでいて大いに興味をそそられる。

『大日本史』の読後感想

上記のように、確かに『大日本史』の内容はバラエティに富んでいるものの、この上なく面白い中国の歴史書に比べると、正直なところ若干面白みに欠ける。ここで『大日本史』を読んだ私なりの率直な感想を述べたい。

1. 哀しい話が多い。『旧約聖書』もそうだし、現代の新聞の三面記事もそうだが、事件性のある事柄はたいてい、殺人、不倫、悪事がらみだ。従って、歴史を記述しようとすれば、必然的に哀しい話が多くなるのは避けられないのかもしれない。

2. 中国には女性でも、宋の山陰公主のように男妾を30人も囲った豪傑がいた。六朝の史書の一つ、『宋書』に「山陰公主が弟の帝（劉子業）に向かって〈同じ親の血を分けた兄妹といっても、あなたには数多くの宮人がいるのに、私に夫が一人というのは、不公平でしょう！〉と愚痴った。すると兄帝は姉のために部下からイケメン30人を選んで与えた」という話がある。このような大らかな話は『大日本史』にはない。

3. 中国の魏晋時代の風俗を書いた『世説新語』の汰侈《たし》篇に石崇《せきすう》と王愷《おうがい》が贅沢を競う話がある。王愷はある時、武帝から二尺の大きな珊瑚樹をもらい、それを石崇に自慢して見せたところ、石崇はじっと見てから、金槌で叩き割った。石崇が怒ると王愷は蔵から三尺、四尺の珊瑚樹をずらっと取り出して見せたので、石崇はその豪華さに茫然自失した。このような桁はずれの贅沢に関する話は『大日本史』にはまったく見られない。

4. 道長の治世などに見られるように、当時の平安貴族は皆権力にへつらって、誰一人として硬骨の臣がいなかった。一方、中国の場合は宋の李迨《りたい》のように「首可断、而膝不可也」（死んでも膝を屈せず）との頑固な意志を持った人物が時々登場しているが、日本ではその割合が極めて少ない。

5. かつて日本では、帝の后に、異母姉妹をめとることが頻繁に行われていた。これが日本古来の風習だとしたら、当然中国の礼とは合わないはずだ。六世紀半ばに百済から日本に儒教が伝わったというが、その総元締めが天皇家でありながら、儒教の根幹の教えは公然と無視されている。これでは、近世に至るまで日本に儒教が定着しなかったのは、理の当然と言えるだろう。

6. 日本人の性におおらかな国民性のせいであろうか、私通が多くあった（ように書かれている）。伊勢の斎宮では、巫女の私通もあったようで、これを咎められて巫女が自殺したというケースはあるものの、処刑されることはなかった。しかし、ローマのウェスタの巫女の場合は、私通が見つかると、広場に生き埋めにされて殺されたことが、リウィウスの『ローマ建国史』に何度か見える。この点を比較すると、日本のほうがローマよりも遥かに刑が緩やかだったと言える。

7. 江戸以前の武士はまったく学がなく、仏典の唱句を多少そらんじている程度のお粗末なものだった。これでは武士が公家から馬鹿にされていたのも無理はない。徳川家康が江戸幕府を開いてから儒学を勧めたのは、為政者がこのような無学であってはうまくいかないと感じたからだろう。江戸から明治にかけて武士の身分は、一種の社会的ステータスであるかのように見なされたが、歴史的に見て武士（それも一部の武士）が教養を身につけたのは、ざっくり言って江戸の中期（1750年以降）に、藩校が次々と設立されてからの話だということがよく分かる。

8. 日本では、才能があっても登用されない。大江朝綱は若いころから、文才に恵まれ、学問も広く修めた。かつて、渤海使が来日したときに詩をつくり、それによって渤海にその学才が知られるようになった。その後暫くして、渤海からまた別の使節が来日し、「朝綱はすでに三公（大臣）になったか」と尋ねた。それに対して「まだだ」と答えると、「日本では、才能を重んじないのですな！　我が国・渤海では、貴国の朝綱の学識がこれほど高く評価されているのに！」と渤海の使節はあきれた、と言う。大江朝綱は60歳になってようやく、昇殿が許される身分となった。72歳まで長生きし、最後は参議正四位下、美濃権守となった。この例でも分かるように、日本では文の才能がまったく尊重されず、血筋がすべてであった。

『大日本史』は非常に厳密な考証に基づいた良心的な歴史書であるが、世間では皇国史観に基づいた歴史書という批判がされている。そのためであろうか、現在に至っても一向に現代語訳される気配はない。

私は『大日本史』のような歴史書は、是非とも誰もが読めるような現代語訳を出版すべきと考えているが、残念なことに、この良書は現在でも一般大衆の手の届かないところにある。こうした現実は、日本がまだ真の意味での文化国家でないことを示しているのではないだろうか。

第4章

人物伝

歴史より人物伝

学校で習う歴史の授業というと、数多くの国名や人名や政治組織の名前、それと年号の山だ。そういったものの暗記に疲れ果てて歴史を嫌いになる人は多い。ところが、本物の歴史というのは人物が活躍するドラマであり、ドキュメンタリーである。それは歴史というより「人物伝」というべきなのだ。

人物といってもアレクサンドロス大王やカエサル、ナポレオン、レオナルド・ダ・ヴィンチのような有名な人ばかりではなく、数知れない庶民がいた。その中から当時の人たちの熱い共感を呼んだ人、あるいは逆に強い反感を抱かせた人など、さまざまな人の生きざまを当時の価値観で描いたのが人物伝だ。

政治上の出来事や人名をいくら正確に暗記したところで自分の生き方を考える上で少しの足しにもならない。事項を棒暗記するのではなく、古今東西の人物伝を読んで、その生きざまから感動する人をみつけて欲しい。

歴史が嫌いだった中学・高校生時代

私は中学から高校にかけて歴史がまったく苦手であった。何ら興趣を引き起こさない、年代や人名、体制や職階などを暗記しなければならなかったので、いつもうんざりしていた。

私は元来、アバウトな性格なので、年号などは昔のことであるから、前後関係さえ間違わなければ50年や100年ほどの単位で合っていれば誤差の範囲だと考えていたし、今もそう考えている。例えば紀元前480年のペルシャ戦争では、アテネがペルシャを「サラミスの海戦」で破ったが、これを紀元500年頃と覚えた場合、正確な年号とは20年の差があるものの、絶対値でいうと、たかだか1%程度の誤差でしかない。つまり99%は正しいともいえる。

1%の不確かさと言えば、例えば昼食で2000円のメニューが翌日2020円になったからと言って値段が変わったと思わないのと同じである（もっとも、1980円になると安いと感じる人もいるだろうが）。

しかし、学校教育における歴史では年号が1年でも間違えば×となってしまうが、本当にそれほどまで正しい年号を知っている必要があるのか、私は疑問に思う。

また、人名、地名なども漢字で書けなくとも、読み方が多少不確かでも構わないと思っている。そもそも当時の発音がよく分かっていないのだから、今我々が呼んでいる人名や地名にしても、もし当時の人が聞いたら「**ギョエテとは俺のことかとゲーテ言い**」のような極めて不正確なものではないだろうか。

私は歴史の年号の細かいことにこだわるより、歴史の流れや、大きな事件が引き起こされた理由、そしてそれが後世に与えた影響を理解するほうがよほど重要だと思っている。歴史というのは単なる「暗記モノ」に止まってはいけない。「歴史を知る」とは、自分の人生を考える上で、もっとインパクトのあることがらである、と知るべきだろう。

更に言えば、私にとっては歴史上のイベントより、各時代を生き抜いた人々の言動のほうが興味深かった。今、中学から高校までの授業を振り返ってみると、人物という観点がすっぽりと抜け落ちていたことが分かる。つまり学校で習う歴史に登場する人物は、いずれも感情などもたないロボットのようで、単に与えられた歴史的使命を果たすだけの操り人形に過ぎず、それゆえ、私にとって歴史の授業はまったく退屈だったのである。

ただ、たまに読んだ偉人伝の中には、内容がすーっと頭に入るものもあった。本章冒頭に触れたナポレオン伝であったり、源為朝の話であったり、かなり子供向けに脚色されていたとは思うが、面白かったので何回も読んで歴史もその部分だけは確実に覚えることができた。

大学に入ってから暗記モノの歴史に苦しめられることがなくなり、せいせいしたが、大学卒業後、大学院に進学したころに出会った、2冊の歴史書によって人物伝の面白さに目を開かされた。それは、ヘロドトスの『歴史』と司馬遷の『史記』であり、いずれも、強烈な個性をも

暗記モノ歴史と人物伝

暗記モノ歴史	人物伝
年代や王の名前、政治体制を暗記 →実態をつかめないものはすぐに忘れる。	人の生きざまに感動する →物語として長く記憶に残る。
年表や現代人のまとめた歴史の解説書 →現代的な価値観、視点からの記述。	本物の史書は当時の価値観で書かれている。 →現代の価値観で判断することが誤りだと知る。
結果論的な記述 →あたかも正統が一つしかなかったかのような錯覚を与える。	現在進行形での記述 →複数の視点からの記述。歴史に埋もれてしまった人物や考え方が分かる。
『歴史読みの歴史知らず』 →歴史的な史実はよく知っていても、自分の行動に活かせない。	歴史の中の人物がリファレンスになる →迷った時、歴史中の人物を活き活きと思い出して、決断が下せる。
年号や事件の名前や概略を知っているだけで満足。	歴史上の人物からロールモデルを見つけることを目的とする

った人々が躍動していた。

この両書を読んで初めて「これが私の求めていた歴史書だ！」と感じ、歴史の面白みを発見したのであった。つまり、**私は自分が興味を持って読める歴史というのは、社会制度や政治システムについての記述ではなく、人物伝であることを理解したのである。**

それ以降、西洋ではプルターク、リウィウス、スウェトニウスなどの書物を読みあさった。片や、東洋では中国の歴史書（漢書、後漢書、晋書、資治通鑑など）は和訳がなかったので原文で次々と読破し、その都度、１０００年以上にもわたって称賛され続けてきたこれら歴史書の重量感をひしひしと感じた。

こうした西洋と東洋の歴史書に比べると、正直なところ我が日本の歴史書はどうも人物の躍動感が少ないように思う。そして残念ながら、その淡白な記述には正直なところ興味が惹き起こされることが少ない。ただし、日本人の本質を知るためには、日本の歴史書は是非とも読まなければいけない書だと考えている。

その後、何冊もの本を読むうちに、なぜ私が人物伝に惹かれるのか、その理由が明確になってきた。それをまとめたのが前のページに掲げた表であり、自分の思考の傾向が明らかになってから一層、人物伝に傾斜していった。

グローバルな環境でのリーダーシップ

現在、日本にはグローバルで活躍できる人を育成しようとしているが、まず、グローバルリーダーとはどういった人であるのかを考えてみよう。

アンケートをとると日本人の理想のリーダーとして吉田松陰や坂本龍馬の名が挙がる。しかし、私は彼らが必ずしもグローバルな環境で通用するとは考えていない。彼らは確かに時代の分岐点では大きな役割を果たしたが、大きな政治改革を成し遂げた訳でもなく、思想的に特に優れていた訳でもなかった。

また日本の過去2000年の歴史を世界の歴史と比べてみると、源平の戦いや応仁の乱以降、約百年続いた戦国時代を除き、国全体をみると非常に平穏であったことが分かる。平穏な期間が長かった日本では統治者に抜群の力量は必要なかったのである。

それ故、グローバルに通用する英雄や政治家はほんの数人程度だと私は考えているが、これは日本の悲劇ではなく、むしろ幸運と言える。ただ、このような英雄不在の日本では、現在のようなグローバルな環境で模範となるリーダー像を探すのは困難だ。我々はもっと視野を広げて、世界の歴史の中から範とすべきリーダー像を探す必要がある。

こうしたことから、世界の人物伝から我々が模範とすべきリーダーを探すことに意味があると言える。彼らは、日本のような単一の価値観ではなく、錯綜する複雑な価値観を見事に操《あやつ》りながらリーダーシップを発揮していった。それ故、**人物伝を読むことは、人間として偉大な英雄や偉人を選ぶというより、グローバルな環境において通用する行動規範を具現化している人物を選び、そのリーダーシップのエッセンスを学ぶ、という意味で価値がある。**

人物伝はリーダーシップについての恰好の教科書

ただし、リーダーシップは、本来的には座学で学べるしろものではないということは、私にも分かっている。というのは、畳の上での水練と同様、リーダーシップというのは実際に修羅場をくぐりぬけてこそ初めて身につくものであり、頭ではなく、ハラ（胆）で会得するものであるからだ。従って、リーダーシップについての「学習」は、あくまでも次善の策、あるいは事前準備的な意味しか持たない。

この制限を理解した上で、リーダーシップを学ぶ方法論について、私は次のように考えている。

世の中のリーダーシップに関する研修では、リーダーとしての素質やすべきことをルール化したものがよく見受けられ、ルールが体系化され網羅的・観念的であればあるほどよいと考えられている。そして、それらのルールを暗記することで、リーダーシップが身につくかのように錯覚している。ところが、記憶というのは単に大脳皮質の表面に留まっているだけでは、とっさの局面では表れてこない。つまり○×式の試験では完璧であっても実際には役立たないことが多い。

私が提案するリーダーシップの学び方とは、教条的なルールを暗記するのではなく、過去の模範となるリーダーたちの人物伝を読み、彼らの実際の行動を通して、リーダーのありかた、行動様式を知ることである。ルールを単に暗記するのではなく、感動的なエピソードを物語として記憶に深く刻みつけることが必要だと私は考える。つまり、グローバルな環境において通用する行動規範を具現化している人物をロールモデルとして心の中に持っていることが重要だということだ。

こうした意味で、東西の古典から実例を通してリーダーシップを学ぶ時に、最適な資料がヨーロッパ古代のギリシャ・ローマや中国古典の歴史書や人物伝である。具体的にはギリシャで言えば、クセノフォンの『キュロスの教育』やプルタークの『プルターク英雄伝』があるし、ローマで言えば、リウィウスの『ローマ建国以来の歴史』やネポスの『英雄伝』がある。

中国で言えば『史記』『資治通鑑』『宋名臣言行録』などを挙げることができる。その他、朝鮮、インド、イスラムにも立派な人物伝は存在していると思えるが本書では除外する。世界と日本のリーダー像（例：『名将言行録』『常山紀談』）を比較することによって、初めて我々がグローバルな環境で生きていく上で範とすべきリーダー像が見えてくるはずである。

ヨーロッパや中国のリーダーをロールモデルとして選ぶのは、客観的にみて、現在のグローバル化の中心が欧米と中華圏であるからだ。そして、これらの文化圏のリーダーのあり方をみると、グローバルな環境に通用するリーダーには「**雄弁、しぶとさ、カリスマ性**」という特性が際立っている。

これらの特性は、従来の日本の価値観では必ずしも高い評価が与えられていないが、その要素が必要であることは分かる。ただし、そういった特性を日本人としてまねて良いかどうかは別問題だ。

人物伝は歴史と小説の中間の産物

ここで人物伝という書き物の性格を考えてみよう。

人物伝に対して歴史好きの人の評価は（多分）芳《かんば》しくないだろうと想像する。それは私のひがみかもしれないが、歴史好きの人は「記憶の正確さ」を誇る傾向があるため、人物伝にみられるちょっとした誇張や記事の不正確さに、目くじらを立てて非難する傾向があると思えるからだ。しかし、記述の一部が不正確、あるいは間違っているからといって非難するのは、いかがなものだろうか？

例えば、リンゴやナシが多少腐っていたとしても、飽食時代の若い人はいざしらず、我々の年代の人間なら、腐った所だけを削り取ってあとの良い部分は食べるものだ。これと同様に、多少の誇張や誤記は愛嬌として読み飛ばして、人としての生き方を知るために人物伝は読まれるべきだと思う。

自己弁護する訳ではないが、不確かな情報が即、不要だという考えは必ずしも正しくないことは印象派の絵画を見ると分かる。

19世紀末に印象派が一世を風靡した。それ以前は、イタリアのカナレットやフランドルのレンブラント、あるいはヴァン・ダイクなどの静物画家に見られるように写実的な絵画が好まれた。それと比べると印象派の絵は細部の描写は雑で不正確であり、気まぐれに色を重ねたような筆使いをしている。しかし、少し離れて絵全体を眺めてみると実物の情感が迫ってくる感じがする。つまり、不正確な情報からでも正しい観念を得ることは充分可能だということを印象派の絵画は教えてくれる。これと同様に、人物伝というのは部分部分の記述は正確さを欠くかもしれないが、全体として人物をリアルに描き得るのだ。

歴史好きの正反対にいるのが、小説が好きな人たちだ。この人たちは歴史の本にみられる事実の羅列だらけの記述は素っ気なく、感情移入できないのを不満に思うだろう。そして、人物伝に対しても、同様に物足りなさを感じるに違いない。小説好きな人は登場人物を歴史上の人物としてではなく、あたかも生身の人間のように、息遣いを感じたいと熱望しているからである。それ故、読者の感情の襞《ひだ》にくい込む表現が少ない人物伝は素っ気なく感じるだろう。

人物伝は、歴史好き、小説好きのどちらからも敬遠される傾向にあるが、逆にいうと、**人物伝というのはちょうど歴史と小説の中間に位置している**と言えるだろう。人物伝は歴史書のように厳密な考証で確実な事実を述べるものでも、あるいは、時代を画する偉大な業績の人を顕彰するものでもない。また小説のように、虚構的、情緒的、観念的に作者の理念や理想を描くものでもない。人物伝は、歴史的事実に立脚しながらも必ずしも歴史そのものでもないところに妙味があり、考証的見地から言えば不正確でも、その当時の時代精神を活き活きと描いているのである。

古典の読み方

本書で取り上げる人物伝の大半は古典であるので、ここで古典の読み方について少し述べたい。

古典というのは、幾世紀にもわたって読み継がれている本をさすが、世の中には古典というとあたかも神聖にして犯すべからざる本であるかのように錯覚している人が往々にしている。あるいは、古典は長らく読み継がれた重要書であるから、一頁たりとも粗末に見過ごすことなく、また著者と真剣勝負するような心構えで臨むべきである、と主張する人もいる。

しかし、遠い過去に書かれた古典は我々にとっては社会背景も異なれば、問題意識も共有できるとは限らない。それ故、自分の理解できる範囲で重要箇所をピックアップするだけでなく、逆に自分が分からない部分やつまらない部分は勝手に読み飛ばして一向に構わない。つまり、**古典というのは、何を重要視し何を重要視しないのか、といった選択権が完全に読者側にある**と私は考えている。

このように言うと、「それは曲解というもので、古典に対する冒涜だ」と眉を逆立てる御仁も出てこよう。だが、かつて哲学者ニーチェがプラトンの『ゴルギアス』を読んだ時、主役のソクラテスの正論ではなく、反道徳的なカリクレスの主張に共鳴して、「権力への意志」を構想したことは余りにも有名だ。ニーチェは30歳にならずして、バーゼル大学の古典文献学の正教授になっていることから、彼がプラトンのギリシャ語を曲解していたという非難は当たらない。ニーチェはプラトンの『ゴルギアス』の中から取るべき所を取ったのであり、**古典こそ、読者が主体となって読むべきなのである。**

古典の文言を聖典と見なすのと同様に、古代の人々をむやみと崇め奉る風潮も根強い。例えば、キリスト教の『聖書』や『コーラン』はいうまでもなく、『論語』、『古事記』などに登場する人々は現代人よりはるかに優れている人たち（つまり聖人）であるかのように思い込んでいる人がいるが、私は、古典に登場する人々を神聖視することは間違っていると思っている。

俗に聖人と言われている人たちにも人間的欠陥があって、時と場合によっては、心にもないことや、わざと反発した意見を吐いたはずだと考えている。例えば、孔子は中国においてはこの2000年間、ずっと聖人として崇められてきた。彼の言ったこと、行ったことはあたかもすべて合理的であり、正当であったかのごとく思われている。

しかし、冷静になって『論語』を読むと、孔子もまた普通の感情をもった人間であることが分かる。さらに普通人と同じような間違いもする弟子たちが書いた本であるから、当然のことながら正しくない文言も交じっているとしても何ら不思議ではない。古典を神聖視し、批判的態度を自ら否定するのは、自由人たるべき人が取る態度ではない。つまりは、孟子の言う「尽く書を信ずれば、則ち書なきに如かず」（書物を全面的に信用するのぐらいなら、書物は無いほうがましだ）という趣旨だ。

少し横道にそれるが、古典だけでなく、過去の人物をその実態以上に評価することに対しても釘をさしておきたい。

例えば、幕末の志士の一人、吉田松陰に対する評価は、現在でも依然として高いが、徳富蘇峰が『吉田松陰』で言うように松陰は「真誠の人」としては優れてはいるとは思うものの、その識見においては見るべきものは少ない。

彼の著書の一つに、『講孟箚記《こうもうさっき》』（別名：講孟余話）という本があるが、読んでみると別段目を見張るような彼独自の解釈がなされている訳でもなければ、深い人生観が展開されている訳でもない。いくら早熟とはいえ、彼は当時、まだ30歳前の社会経験が未熟な若者であったから、それは当然とも言える。松陰の弟子たちが明治維新において大きな活躍をしたことと、我々が松陰の残した書きものから得られることをはっきり区別すべきである。

意外に思われるかもしれないが、尚古主義（昔の文物・思想・制度などを模範とし、これに習おうとする考え方）を標榜《ひょうぼう》する儒教においてすら、過去の人物の過大評価について戒める考えがあった。孔子は民間の伝承をベースにして架空の人物、尭舜を聖人と崇め、その時代を理想郷とする幻想を積極的に広めた。だが、孔子の一番弟子の顔回はそうした孔子の態度にたいして内心反発を感じていたようだ。孟子には顔回の「舜、何びとぞや？　予《われ》何びとぞや？　為すある者はまたかくの如し」という言葉が引用されている。つまり顔回は「聖人といえども、理想化する必要はない。自分だって努力すれば舜のようになれる」と主張したのだ。**要は、過去の人を絶対視しないという姿勢を持つことが大切である。**

古典の人物伝を読む意義

古典を読む必要性について述べたが、私は近代・現代の作家が書いた歴史書や歴史小説を読む気があまりしない。それというのも、最近の本には次の2点が欠けているからである。

1. 当時の価値観
2. 時代を超越して通用する人生観、価値観

パイナップルに喩えて、まず1. について説明しよう。

実際の歴史的イベントが生のパイナップルとすれば、過去に書かれた史書は「当時の価値観」のお蔭で元の生々しい感情の味わいをかなり残している生ジュースのようなものだ。それに対して、近代・現代の歴史書と言えば、（言い過ぎになるかもしれないが）搾りかすに近いようなもので、それは「当時の価値観」の欠如が原因だ。それでは、なぜ私が「当時の価値観」が残っているものを評価するかといえば、それは現在の価値観が正しいかどうかを試すリトマス試験紙的な役割を果たすからだ。

当時の人が何を正しいとし善しとしたのか、その価値観を現代からみれば、それは果たして

正しいのか、善しと言えるのかを考える材料となる。逆に言えば、現在の価値観を将来から見ればどう見えるのかを考えさせてくれる。もし当時の価値観と現在の価値観が異なるのであれば、人間として果たしてどちらを取るべきかを考える必要がある。

この観点に立てば、現代の歴史小説家が描く過去の人物の言動に現代の倫理観が反映されているのは、フィクション（小説）であれば非難に当たらないが、過去の人々の生き様を知る、という人物伝の目的からすると、好ましくない。こうした理由で私は歴史書にしろ人物伝にしろその当時の人の書いたもの、即ち古典を好むのである。

次に2．についてであるが、史記を初めとした中国の紀伝体の史書は、どれも人物伝といえる。その理由は政治変遷より、人がどのように考え、行動したかを丹念に追いかけて書いているからである。これら中国の史書やギリシャ・ローマの人物伝を読んでいると、自分がそれまで無意識のうちに探し求めていた生き様をみつけることができる。つまり、「**時代を超越して通用する人生観、価値観が分かる**」のである。

哲学や宗教のように定型化された抽象的な議論ではなく、具体的な生き様に感動し、そこから自分のロールモデルとなるべき人を見つけ、自分自身の哲学、人生観を作り上げていくべきである。数学の公式を丸暗記しても数学の本質を理解できないように、哲学や宗教の本を真剣に読んだからといって確固たる哲学・人生観をそう易々《やすやす》と確立できるものではない。

結局、「歴史を読む」というのは政治体制などの変遷を知るためではなく、人の生き方を学ぶためにに人物伝を読むことこそが重要である。

人物伝の古典がなじみにくい原因

「人物伝を読もう」といっても、若い人から「古典は読んでもなかなか頭に残らない」という嘆きの声が聞こえてくる。この嘆きは、現代の教育システムの根幹に深くかかわっているように感じる。そこで、古典を読むのがなぜ難しいのか、その理由を考えてみよう。

当然のことながら、古典はある程度の共通認識を持った人向けに書かれているので、一回読んだだけでは本質を理解することは難しいだろう。こういった本は大抵、かなりの分量があるので途中で挫折し、これに懲りて古典には二度と近づかないと決めている人もいるだろう。

しかし、私の経験則からいうと、古典のような主要な本は分からなくても必ず通読することが大切だ。一度通読した本とそうでない本ではあきらかに自分のなかで何かが違っているのが分かる。単なる自己満足とも言えるかもしれないが、二度目に読むときには少なくともその本に対する恐怖感や遠慮感は失せてしまっていることに気づく。残念ながら大抵の人は古典を一回も通読した経験がないので、古典に対する恐怖感がなくならないのである。

想像するに「古典の文章が頭に残らない」理由には、次の二つがありそうだ。

○地名、人名が覚えられない。人物の関連が分からない。
○状況描写が簡単過ぎる。

これらは単に頻繁に年表や歴史地図を参照すれば解決する、という技術的な問題ではない。根本的な要因は「**チャート式にチューニングされた脳**」に起因すると思われるので、その意味を説明しよう。

受験参考書の定番に数研出版の「チャート式シリーズ」がある。私も高校時代にはかなりお世話になった。白黒印刷が普通だった当時、赤と黒の二色印刷で重要事項を際立たせ、囲み記事として難解用語の解説があり、関連事項をチャート（図式）で分かりやすく図示していた。また、記憶すべき点には、漏れなく「ここが重要！」のマークがついている。この構成が気に入られ、「チャート式シリーズ」はたちまち受験生に広まった。私もこの参考書をかっちり押さえれば恐い物なし、という気がしたものだった。今や多色刷りは当たり前で、カラー写真や図解のオンパレードだが、その魁《さきがけ》がこのシリーズであった。

学習ポイントが要領よくまとめられ、かつ目立つように書かれている参考書を子供のころから使っていると、次第に脳の構造がこのようなスタイルになじんでしまうことになる。

それを裏付けるかの如く、世の中で売られている一般的な本も「分りやすいレイアウトと豊富な図解」を意識して作られている。その結果、現代の日本人（だけでなく、先進国で教育を受けた人はほとんど）は、重要な点には必ず何らかのマークがついていて、それらの目印を辿っていけば、自然と物事が正しく理解できるものだ、と信じている。同時に、各ページには必ず覚えるべき重要なことが書いてあって、無駄なページはないものだと、疑わない。

だが、こういった参考書に慣れた人が、古典を読むとどういうことになるだろうか？　古典は、段落分けはされてはいるものの、どのページにも、「ここが重要！」というマークが付けられていないし、「この人が主役、この人は端役」といった区別もない。

それだけでなく、事件が起こった時の状況描写やそれに対する人々の心理描写は、現代の歴史小説を読みなれた人にとっては、あまりにも簡略化されていて物足りなく感じることだろう。しかし、考えてみれば、直接見ていない事件や状況をこと細かく描写できるほうが逆におかしいはずだ。特に心理描写に至っては、本人が説明しない限り分かるはずがないにも拘わらず、現代の歴史小説では心の揺らぎが手に取るように分かる。つまり、現代の歴史作家は個人的な思いを歴史上の人物を介して述べているわけで、史実というよりフィクションを書いていると言えよう。

逆に、古典には現代の我々にとってどうでもいいことがぐだぐだと何ページにもわたって書かかれていることもある。書かれた当時、それは重要な情報、あるいは皆が関心を持つような情報であっただろう。ただ、時代が変わるとそれらは意味のない情報となってしまったのだ。それ故、古典はダイジェスト版やあらすじだけを読む人が多いが、私はくだらない個所も含め、極力全文を読む方針だ。全文を通して読むことで、はじめて当時の価値観や時代精神を自分の感覚でつかむことができるからだ。

しかし、「チャート式にチューニングされた脳」の持ち主は、古典の書物には下線、赤色、囲みなどの何らかのマークで表示される単語がまったくないページを見て当惑してしまう。さらには、登場人物の誰が主要人物であるかが分からなかったり、他の人物との関係を明確につかめなかったりするといらだつ。また、内面や行動の描写がいともそっけなく書かれていると、「はて、自分は何か重要なことを見落としてしまったのでは？」と、あせったりもする。こうした緊張が積み重なると、一ページを読むのでさえ苦痛となることは容易に想像できるし、これらが「古典は読んでもなかなか頭に残らない」真の要因だろう。

過去の人物伝を読んで登場人物の言動を正しく理解できるには、「チャート式」の読書からの脱却が必須だ。**人の意見や思惑に左右されず、自分自身で「ここが重要！」「この人がステキ！」という印を付けながら読み進むこともまた古典的な人物伝を読む醍醐味といえる。**

※尚、ここで取り上げた、「チャート式」の名称は単に学習参考書の代名詞として使っただけで、数研出版の「チャート式シリーズ」を誹謗中傷するものではないことをお断りしておきたい。

ギリシャ・ローマの人物伝　──なぜギリシャ・ローマの人物伝を読むのか？

現代の中国や日本では依然として『三国志』の人気が高い。歴史的な評価は別として、三国志（正しくは、三国志演義）に描かれる人物の活躍に興奮し、悲劇的な最後に涙し、あたかも2000年ほど前の人物が、現代も生きているように感じる。それと同様にヨーロッパでは依然としてギリシャ・ローマ時代、とりわけ紀元前1世紀の共和制ローマに活躍した人物（カエサル、キケロ、クレオパトラなど）の人気は衰えない。

それというのも、ローマがヨーロッパのほぼ全土を征服したので、ローマ文明（生活様式）がヨーロッパ全土に定着したからだ。更には、ローマ帝国全体の共通語であるラテン語を介してキリスト教が普及したため、近世に至るまで、ヨーロッパはキリスト教以前から続くローマ文明という共有な文化基盤をもつようになった。もっともローマはそれ以前のギリシャ文明から多くのものを受け継いでいたので、結局、ヨーロッパにおいてはギリシャ・ローマの人物の言動が共通のロールモデルとなり、ギリシャ・ローマの人物伝は現在にいたるまでヨーロッパ文明の精神的支柱として大いに読み継がれているのである。

ここで代表的なギリシャ・ローマの人物伝と本物の史書を並列してリストアップしておこう。

『プルターク英雄伝』

ヨーロッパで古典的な人物伝というと、必ずこの『プルターク英雄伝』（プルタークはプルタルコスともいう）の名が挙がる。元来ギリシャ語で書かれた本でありながら、中世もずっと書き継がれ、ほぼ全編が損傷することなく現代にまで伝わっている。それほど、この本は長いあいだヨーロッパの人々に共感と感動を与えてきているわけだ。

さて、このプルターク（紀元後45－120）という人は、ローマ時代のギリシャ人で、かつて、暴帝ネロがギリシャを訪問した時（紀元後67）、駕籠に揺られて行くネロを間近に見た、と記している。プルタークはラテン語がまったく話せず、ギリシャ語しかしゃべれなかったのだが、当時のローマの知識階級は皆ギリシャ語をマスターしていたので、プルタークはしばしばローマで哲学の講義を行うことができた。

『プルターク英雄伝』は近世になって各国の言語に翻訳されてからかなり広く読まれるようになった。例えば、アミコによるフランス語訳が1559年に出版されているが、モンテーニュがこれを愛読し、彼の『エセー』にもたびたび登場している。また、シェークスピアの劇には『ジュリアス・シーザー』や『アントニーとクレオパトラ』など、本書から題材をとったものも多い。

人物伝と本物の史書

ギリシャ	
プルターク	『英雄伝』(岩波文庫)
クセノフォン	『キュロスの教育』(京都大学学術出版会・西洋古典叢書)
ディオゲネス・ラエルティオス	『ギリシア哲学者列伝』上中下(岩波文庫)
ヘロドトス	『歴史』(岩波文庫)
トゥキディデス	『戦史』(岩波文庫) 『歴史』(西洋古典叢書)
ローマ	
リウィウス	『ローマ建国以来の歴史』(西洋古典叢書)
ネポス	『英雄伝』(国文社)
スエトニウス	『ローマ皇帝伝』(岩波文庫)
タキトゥス	『ゲルマニア・アグリコラ』(ちくま学芸文庫) 『同時代史』(ちくま学芸文庫) 『年代記(上・下)』(岩波文庫)
ギボン	『ローマ帝国衰亡史』(ちくま学芸文庫)
モムゼン	『ローマの歴史』(名古屋大学出版会)

私が日本ではあまり知られていないプルタークを知ったきっかけはフランスのモラリスト、モンテーニュの『エセー』であった。『エセー』を読んで私は初めてヨーロッパ人が考える本物の「**生きた哲学**」に出会ったと感じた。もっとも世間的には、モンテーニュは哲学者ではなく、単なるモラリストだと低く評価されているようだが、私にとってはそういうことは問題ではなかった。モンテーニュが愛惜を込めて描きだしたギリシャ・ローマの哲人たちは、いずれも強烈な自由精神の持ち主であることが強く印象に残り、モンテーニュが一番好んだギリシャ人はプルタークに違いないと思えた。

ところで、『プルターク英雄伝』の構成は普通の人物伝とはすこし変わっている。それは特定の人を描くのではなくギリシャ人とローマ人(合計：50人、46人＋4人)の類似の経歴の人を比較して書いている点であり、このことから『プルタ―ク英雄伝』は対比列伝（Parallel Lives）とも呼ばれている。

プルタ―クは史実の正確さよりも、人物の性格をくっきりと浮き上がらせることに注力したようだ。取り上げた人物はいずれも当時のギリシャ・ローマ世界の著名人であり、その言動は良しにつけ悪しきにつけ当時の人々の倫理観・人生観を表わしている。この意味で後世、『プルタ―ク英雄伝』はヨーロッパの知識人の行動規範となった。つまり本書はギリシャ・ローマの古典精神という抽象的なものを人物像を通して具体的にイメージ化することでヨーロッパ人の共有財産となったのであった。

私は『プルタ―ク英雄伝』を最初に河野与一氏の訳した岩波文庫本で読み、その素晴らしい内容に惹きこまれた。岩波文庫本は活字が旧字体である上に、脚注が小さなフォントで記されているため、極めて読みにくく、文体も多少時代がかっていて古めかしかったが、なかなか良い本であった。というのも、その後、チィグラー（Konrat Ziegler）のドイツ語訳、およびLoeb叢書のギリシャ語・英語の対訳本で読んだ時に併せて参照したが、翻訳が非常に正確であったからだ。ちなみにこの河野与一氏の岩波文庫本は現在では絶版になっている。抄訳本なら、ちくま学芸文庫『プルタルコス英雄伝』全3冊があるが、あまりお勧めできない。やはり全訳がよいので、多少無理してでも京都大学学術出版会の西洋古典叢書として出ている『英雄伝』あたりがいいだろう。

さて、プルタークが歴史ではなく人物伝を意図した理由は『アレクサンドロス伝』の冒頭の次の言葉から分かる。

私が書くのは、歴史ではなく、人物伝だ。輝かしき事蹟に必ずしも徳や不徳が明らかになる訳ではない。むしろ、何千人もが戦った大戦争や熾烈な攻防戦より、ちょっとした言葉や冗談の中にしばしば、人物の性格が表われる。

また、プルタークが人物伝を書くにあたって、あたかも過去の偉人たちと個人的な会話をしているようだと感じていたことについては、アエミリウス・パウルス伝の冒頭の次の言葉に表われている。

私（プルターク）の仕事は、こういう人々と一緒に日を暮らし一緒に生活しているようなもので、ちょうどその一人一人を歴史を通じて順番に客として迎え、席を共にして〈どんな偉い、またどういう風な人であるか〉を観察しながら、これらの人々の行動から最も重要な、最も立派なところを知ろうとすることである。

プルタークのこの流儀は、彼の英雄伝の中に一貫して流れている。そのいくつかの例を取り上げてみよう。

ピュロス（紀元前319－272）

ピュロスはマケドニアの王であり戦争の天才であった。かのハンニバルが自分より上手な戦略家としてアレクサンドロス大王の次に挙げているほどの人物だ。ローマがイタリアに支配を拡大している時に、ピュロスはイタリア南部の都市、タレントゥムに雇われてローマと戦うことになったが、彼はこの強敵を相手にしても負ける気がしなかった。そこに、今回の戦争はピュロスに利あらずと思っていた雄弁家のキネアースが現《あらわ》れ、ピュロスが寛《くつろ》いでいるときに「蛇足（余計なこと、不必要なことなどの例え）」と同様の趣旨のなぞかけをして遠征を止めようとした。しかし、ピュロスは聞き入れず、ローマ軍と文字通りの死闘の末、辛くも勝利した。だが、戦争には勝ったものの、被害が多く引き返すことになった。この話になぞらえて、後世、割に合わない戦いを「ピュロスの勝利」（Pyrrhic Victory）と呼ぶようになった。

マリウス（紀元前157－86）

日本ではローマというと、カエサルから後の時代、ネロなどの廃頽とデカダンスの帝政ローマ時代を思い浮かべる人が多いだろう。また、ギボンの名著『ローマ帝国衰亡史』からローマの衰退に魅力を感じる人もいるに違いない。しかし、ローマのローマたる所以《ゆえん》はカエサルの暗殺と共に終焉した共和制ローマの時代であり、私がこのことを理解したのはリウィウスの大冊『ローマ建国以来の歴史』をＬｏｅｂ叢書で読んだ時であった。

この本によって、それまで廃頽のローマというイメージがまったく覆された。ローマは建国以来、初めは近隣諸国と、後には地中海や遠く中近東まで、広大な領域を戦いに継ぐ戦いで息のつく暇もなかった。それを支えていたのが質実剛健の兵士たちで、その代表的な人物がローマの実力者でカエサルの外伯父でもあったガイウス・マリウスである。

マリウスの武人ぶりは徹底していて、当時ローマ貴族の間では小スキピオ（スキピオ・アフリカヌス）の影響でギリシャ語を習うことが流行していたが、これをマリウスは文弱と軽蔑しきっていた。しかし、小スキピオからは自分の後を継ぐのはマリウスだと目されていた。その理由は、マリウスが兵士と労苦を共にしたことが高く評価されていたからだろう。

ローマの兵士にとって、将軍が食事の時に同じパンを食べたり粗末な藁床で臥したり濠を掘ったり柵を築いたりする場合に、一緒に仕事をしてくれたりすることはこの上なく喜ばしいことであった。名誉や財物を分けてくれる将軍よりも、労苦と危険を共にしてくれる将軍のほうに敬服し、楽な生活を許す将軍よりもむしろ共に苦しむことを欲する将軍のほうを愛慕する。

マリウスのこのような言動は日本の古武士を髣髴とさせる。この点において私は、新渡戸稲造の『武士道』にみられるように、武士道精神が日本だけにあったというような偏狭な「日本びいき」には与《くみ》しない。武士道精神は紀元前のローマにも見られたし、ゲルマン人の間にもみられた。例えば次のような記述がマリウス伝に見られる。現在の北イタリアに住むキンブリ族との戦闘で、大敗したキンブリ族が逃げたのを追いかけて行ったローマ兵は凄惨な場面を目にした。

…その逃げて行くのを追ったローマの兵士は、防壁の前で極めて凄惨な光景を目にした。それは女たちが、黒い着物を着て車の上に立ち、逃げて来るものを夫でも兄弟でも父親でもことごとく殺し、自分の手で幼い子供たちの首をしめて車輪の下や駄獣の足下に投げつけてから自分の咽喉を掻き切る光景だった。

カエサルの『ガリア戦記』にもゲルマン族の戦い方が描写されている。彼らは家族全員を荷車に載せて戦場におもむき、全員で男たちの戦いを応援するが、敗けたとなると、戦闘員の男だけでなく、家族もろとも敗戦の運命を共にする。くらくらする凄惨な情景描写を読むと、『葉隠』の微温的な武士道など、とてもこの戦記に敵《かな》わない気がしてくる。

人物伝を読む一つの魅力は、上記のような記述でわかるように、当時の風俗のありのままの姿を知ることができる点である。普通の歴史の記述といえば、政治の話が多い。また戦争についての記述でも、あたかも空中の高い場所からドローンで見たようなアウトライン的な記述が多い。しかし、**人物の言動にフォーカスした人物伝では、あたかも従軍カメラマンのように主人公にピタリとくっついて状況をルポルタージュするような迫力満点の記述が主体となっている。**

アエミリウス・パウルス（紀元前229−160）

共和制ローマの英雄というと第二ポエニ戦争で、ハンニバルをザマで破った若き将軍・大スキピオ（スキピオ・アフリカヌス）がいる。その家の養子となり、偉大なスキピオの名前を継いだのが小スキピオ（スキピオ・アエミリアヌス）で、その父がアエミリウス・パウルスである。アエミリアヌスは小スキピオともう一人の息子と三人で共に第三次マケドニア戦争でマケドニア王・ペルセウスに勝利した。昨日までマケドニアの王として君臨していたペルセウスは、ローマ軍に降《くだ》った途端にそこまでの王の威厳をかなぐり捨て、憐れな声をだしてしきりと命乞いをした。それをみたアエミリウスはさもしい心根だとペルセウスを軽蔑した。

このペルセウスと比較すると、インドのポロス王は負けても堂々と王者の風格を示した。アレクサンドロスとの戦いに敗れたポロス王の毅然たる態度に、勝者のアレクサンドロスも敬服している。

アレクサンドロスがインド北部（現在のパキスタン領）に進撃した時、パンジャブのポロス王は戦象をインダス川にずらりと並べてその渡河を阻止しようとした。アレクサンドロスはわざと下流を攻めるとみせかけ、相手が上流の見張りをおろそかにしたところから河を渡りポロス王を背後から攻めて勝利した。ポロス王はアレクサンドロスの前に連れていかれて、どういう待遇がお望みかと聞かれて、「王たるにふさわしく」とだけ答えた。その毅然たる態度に感服したアアレクサンドロスは、ポロス王を敗者としてではなく盟友として遇したという。

プルタークは「……すべし」というような教条的な書き方はしていないが、こうした実例を通して、読者が自ずと人としての正しい生き方・あり方を知ることができると考えていたように感じる。

ポロス王の戦象の話のついでに、少し脱線して戦争に猛獣を使った例を紹介しておこう。かつて戦争に動物を使うというのは当たり前だったようだ。例えばインド、スリランカ、タイでは、象が戦闘に使われていた。17世紀の探検家で、セイロン島（現在のスリランカ）に20年も拘留され、最後には、インディ・ジョーンズもどきのスリル溢れる脱出劇を演じたロバート・ノックスの体験記『セイロン島誌』（平凡社東洋文庫）には、当時の戦象のようすが書かれている。

一方、古代ヨーロッパでは、象を戦場で見るのは驚愕の出来事であった。紀元前218年、ハンニバルが戦象をスペインから南フランス、それからアルプスを越えてイタリア北部に連れていった時は、ローマ軍は大いにうろたえた。しかし、ローマ軍にとって幸運だったのは、アルプス越えで、大半の象が氷結した崖から落ちたり、寒さや飢えで凍え死んだりして、当初の37頭がイタリアに来たときはわずか3頭にまで減っていたことだった。

ギリシャの例では、紀元前48年にメガラ市がローマの武将カレヌスに攻められた時、篭城の果てにとうとう持ちこたえきれず、最後の手段として、飼っていた猛獣のライオンを放った。しかし、ローマ軍のあまりの喚声に仰天したライオンは敵に向かわず、逆に飼い主側のメガラ市民を襲った。そのすさまじさは「敵からさえも哀れまれる」程の悲惨な状況だったと伝えられている(『プルターク英雄伝』ブルータス・8)。

『列子』によると中国の神話では、昔々、黄帝と炎帝が戦ったときに、ありとあらゆる猛獣を駆使したと言われている。猛獣だけにとどまらず猛禽類も旗代わりに使ったとされているというから、現代なら、さしずめホークスとイーグルスの熱戦とでもいうところだろうか。

ネポスの『英雄伝』

次にローマの英雄伝に移ろう。

コルネリウス・ネポス（紀元前110－25）については、日本ではまったく知られていないと言っていいだろう。私はドイツ留学中に、レクラム文庫のギリシャ・ラテン関係の本を片端から買ったが、その中にローマの雄弁家・キケロの大親友であるアッティクスの伝記に気付くまでネポスの名を知らなかった。

ネポスはかなり多くの本を書いたようだが、現在まで伝わっているのはわずかに『英雄伝』のみである。しかし、幸運なことに、彼のラテン語は易しいので、初級ラテン語の読本として近代ヨーロッパでは広く読まれたという。ただ、その内容に関する専門家の評価は「間違い、矛盾、不正確な記述は数えきれず」と極めて低く、国文社から『英雄伝』の日本語訳が出版されているが、「批判的精神に欠けた通俗的読み物に過ぎない」として次のような評価が下されている。

○主人公の性格を照らし出すエピソードが紹介され、倫理的教訓が導かれる。
○紹介する人物が徹底して賞賛される。

このように評価の低い本をなぜ私が取り上げるかというと、彼の本は当時の「**時代精神**」を如実に表していると考えるからだ。それは日本の場合に喩えれば、平家物語や太平記にも「間違い、矛盾、不正確な記述は数えきれず」あるものの、いずれも国民文学として日本人の共有財産となっていることと同じだ。ＮＨＫの大河ドラマなども厳密な歴史考証の立場から言えば同様のありさまであろう。ネポスの『英雄伝』もまた「大行は細瑾を顧みず」（大きなことをしようとする時は小さなことにこだわるな）で、我々にとって感動を与える読み物であると私は考えている。

さて、この『英雄伝』の本来のタイトルは「著名な人物について」といい、ギリシャ、ローマ、カルタゴの王侯、将軍、哲学者、歴史家などの伝記が綴られている。しかし不思議なことに、ネポスはローマ人でありながら、取り上げているローマ人はわずか二人（カトーとアッティクス）しかいない。この二人について紹介しよう。

まずカトー（マルクス・ポルキウス・カトー、紀元前234－149）であるが、彼は共和政ローマの政治家で、ローマの伝統である質実剛健を体現した人であった。その厳しさゆえに数多くのローマ人から憎まれたが、筋金入りのリパブリカン（共和主義者）として終生高く評価されてもいる。ただ、カルタゴに対する憎しみ（それは裏返せば、ローマの安定への強い思いであったが）は人一倍つよく、演説の最後は常に「さても、カルタゴは滅ぶべしと思う」とのフレーズで締めくくったと言われている。そしてカトーの念願通りに、カルタゴが第三ポエニ戦争で殲滅されたのは、彼が没して程なくのことであった。

アッティクス（紀元前110－32）はネポスの同時代の人であり、キケロの無二の親友として名高い。ネポスの『アッティクス伝』はアッティクスを義に篤い、寛容な人として描いている。アッティクスの性格と行動はローマ人だけでなく、長く滞在したアテネの人たちからも愛された。その一つの理由は、損得を考えることなく、落ち目になった人を親身になって援助したからだ。例えば、カエサル（シーザー）を暗殺したブルータスが絶頂の時には献金を求められても断ったが、ブルータスがアントニウスによってローマから追われた際には多額の金を与え亡命を助けた。次いで、アントニウスが後日、ローマから「国家の敵」として誰からも見放された時には、本人だけでなく家族にまで援助の手を差し伸べている。

このように政治の主流から外れた人たちを援助しながら、アッティクスは誰からも憎まれることがなかった。それは単に幸運だったというのではなく彼の性格の反映だとして、ネポスは**「人の運命は性格によって定められる」**との諺を引用している。

また、アッティクスは莫大な遺産が入っても、それまでの質素な暮らしのスタイルを変えることはなかった。彼の生き方の神髄は次の言葉に凝縮されている。

華麗ではないが気品があり、贅沢ではないが高雅さをもっていた。常に豪奢ではなく、端正なものを求めていた。

『アッティクス伝』を読むと、彼の生き方はまさしく日本の武士道の潔い生き方に近いことが分かる。ネポスの『英雄伝』は、ローマの人たちが抱いていた「時代精神」や倫理観を知る上で読む価値が十分にあるはずだ。

中国の史書は人物伝そのもの　――『史記』を読もう

人物伝に関して、中国は掛け値なしで世界一である。それは、紀元前2世紀に司馬遷が書いた『史記』から延々と2000年の長きにわたり「紀伝体」というスタイルの人物伝が書き継がれてきたからだ。つまり中国の歴史書は事件を時系列に述べるという編年体スタイルではなく、人物伝が中核をなしているのである。その意味で中国の本物の歴史書、つまり史書（二十四史とも言われる）を読むのは、人物伝を読むことと等価である。

司馬遷の『史記』は普通、歴史書に分類されるが、私は「人の生き方」を教えてくれる、人物伝の形式をとった哲学書だと考えている。『史記』に描かれている人物の言動はあたかも「人生の曼荼羅」であり、「人はいかに生くべきか」という哲学的課題に対する回答を学ぶことができる。それは、哲学者のようにしかつめらしい理論をこねくりまわすのではなく、実際に生きた人の中に自分がモデルとすべき人を見出せるからだ。現代用語風に言えば『史記』の列伝は、人生観を形成するための実例ベースのケーススタディ集のようなものだ。

司馬遷の人物伝作者としての天分が存分に発揮されているのは、列伝の冒頭での数行の小話

（エピソード）で、登場人物の特徴をあたかも映画の一コマのように鮮烈に映し出すナレーションにあると言えよう。

例えば、冷酷な官僚の伝記である『酷吏列伝』の張湯の伝は次のような話で始まっている。（訳文は平凡社、中国古典文学大系・史記下）

張湯は杜の人である。その父は長安の丞であった。あるとき、父が外出し、まだ子供であった湯が留守居をしていた。父が帰ってみると、鼠が肉を盗んでいた。父は怒って湯を笞《むち》うった。湯は鼠の巣窟を掘りかえし、盗んだ鼠と余りの肉を見つけだし、鼠を弾劾して笞うち、令状を発し、口書をとり、尋問追及して罪状書をたてまつる手続をふみ、鼠を取りおさえて肉を取りあげて、獄を設けて堂下に磔にした。父がその様子を見て、その文辞をしらべてみると、老成した獄吏のようであった。そこで、大いに驚いて、決獄の書を書かせるようにした。

張湯は後年、厳格で冷酷な判決を下したために多くの人から恨まれたが、子供のころからすでに大成した厳格な裁判官の風格を備えていた人であった。張湯の数十年にわたる人生には、いろいろな話がある。その中からこの一コマを選ぶところに、論評がなくとも司馬遷が張湯をどう評価したかが分かる。

伝の冒頭に小話を持ってきて登場人物の性格や運命を鮮やかに切り取って示す画期的な手法

は司馬遷が編み出した。この斬新なスタイルのおかげであろうか、『史記』はその後、2000年にもわたって書き継がれた紀伝体という形式の人物伝の一大叢書の先陣となった。ちなみに、中国だけでなく、ギリシャでもこの「小話の手法」は人物描写に有効だと考えられたようだ。既に述べたプルタークの人物伝にも同じような意図がみられる。

さて、我々は司馬遷の描く人物列伝から、「人の生き方」を学ぶことができると述べたが、とりわけ司馬遷が敬愛した人たちを並べてみると、彼が考えた「人の道」が見えてくる。思いつくまま挙げてみると、次の人たちが彼の琴線に触れたようで、それぞれの伝に挟まれている名句から司馬遷ならではの強い愛惜の念が響いてくる。

○李広・李陵（巻109）－　李陵は李広の孫。どちらも漢初期の将軍。「桃李不言、下自成蹊」（桃李、もの言わずとも、下、おのずから蹊を成す）

○晏嬰《あんえい》（巻62）－　司馬遷が忻慕《きんぼ》した人。「進思盡忠、退思補過」（進んでは忠を尽くさんと思い、退いては、過ちを補わんと思う）

○魏公子（信陵君）（巻77）－　父王に背いて軍を勝手に出して、趙を救った。「公子、天下無雙」（公子、天下に双《ならぶ》なし）

○楽毅（巻80）－　先祖代々、将軍の家系。「古之君子、交絶不出悪声」（いにしえの君子、交を絶つも悪声をいださず）

○廉頗《れんぱ》・藺相如《りんしょうじょ》（巻81）－　武骨な将軍、廉頗と、「完璧」の故事で知られる気骨あふれる政治家・藺相如。藺相如が廉頗の上位に就いたので、廉頗が怨んだが「卒相与驩、為刎頸之交」（ついに、相ともに驩《かん》し、刎頸《ふんけい》の交をなす）

どうだろう、これらの人たちの生き様から司馬遷が尊重したと思われる倫理観が浮かび上がってこないだろうか？　私の心には「廉」と「義」が浮かぶ。「廉」とは「むさぼらない」ことであり、「義」とは「自らに恥じない行い」である。単純な字でありながら、哲学者が廉や義をいくら詳細に、論理的に矛盾なく、定義したところで、これらの語のもつ本質をつかみ挙げるのは容易でない。

『宋名臣言行録』

宋は歴代の中国の王朝のなかでもとりわけ名臣が多い。それらの人々の生き生きとした言行を南宋の朱子（本名、朱熹）が『宋名臣言行録』という書（正確には、『五朝名臣言行録』と『三朝名臣言行録』という二部からなる。）にまとめている。

この『宋名臣言行録』は古来『貞観政要』と並んで、帝王学の書として有名である。現在、『貞観政要』は明治書院から全文の漢文の書き下し文と現代語訳が出ている。一方、『宋名臣言行録』は、たいした分量ではないにも拘わらず、未だに抄訳しか存在していないのは残念である。わずかに国訳漢文大成には原文と書き下し文だけではあるが、全文（といっても僅かに欠けているようだが）が載せられている。

両方を読んだ感想を述べると、我々庶民には『宋名臣言行録』のほうが参考になる部分が多いのではないかと思う。『貞観政要』は中国史上の名君の誉の高い唐・太宗と臣下との対話が中心に編纂されているが、これは我々庶民にはすこしばかり敷居が高い。料理に喩えて言えばミシュランの三ツ星クラスの内容だ。庶民にはそういった高級レストランでは緊張して料理を味わうどころではないだろう。それよりも、B級グルメでもいいから気の合った仲間と騒ぎながら食べるほうが似合っている。そういった感覚で私は『宋名臣言行録』をお勧めする。

宋代の士大夫 ― 韓琦と王旦

『宋名臣言行録』の人物伝には、士大夫《したいふ》とよばれる学識ゆたかな政治家が多く収められている。士大夫は客観的に言って、必ずしも政治的に優秀だとは言い難い人もいるが人格的にはいかにも中国的「大人《たいじん》」の風格を備えていた人が多かった。

宋代は名臣を数多く輩出したが、その中でも仁宗、英宗、神宗の三代に仕えた韓琦《かんき》は朱子が高く評価したようで、『宋名臣言行録』の中で最も多くのページが費やされている。その韓琦が先輩の范仲淹《はんちゅうえん》や富弼《ふひつ》の高潔な人柄を述懐した言葉がある。

韓琦公が言うには、「慶暦のころだった、私は范仲淹や富弼と同じ部署（西府）に居たことがあった。この人たちは、陛下の面前で議論するときは各々正しいと思う所を存分に主張し、互いに激しく議論していたが、いったん役所をでると和気藹々として、まったく言い争いなど無かったようだった。当時、重臣は三人いたが、皆、心を合わせ、あたかも一つの車を同じ方向に押しているようだった」

彼らの態度に比べると、残念ながら、日本では議論の時、異なった意見を述べるとついついお互いに感情的になってしまいがちである。しかし、本来的には、議論は議論、友情は友情、と別々なものと考えるようでありたいものだ。こういった大人的な行動こそまさしく論語のいう「君子は和して同ぜず、小人は同じて和せず」の示すところであろう。

王旦という人も宋代の士大夫を代表する人物である。父の王祐が息子の王旦の出世を予言して、「我が家から必ず、宰相《だいじん》の位に登る者が出てくる」と言って、手づから三本の槐《えんじゅ》の木を植えた。その予言通り、王旦は大尉の位まで出世し、死後、魏国公を贈られた。

王旦は度量溢れる人であった。ある時、自分の部署から別の部署へ発した命令書が規則違反であったことを、別の部署の長官である寇準が見つけ、皇帝にちくった。王旦は皇帝に呼び出され叱責され、部下の者も罰を与えられた。一ヶ月も経たない内に、今度は逆に寇準の部署から回ってきた書類に不備があったと部下の者が喜び勇んで王旦に報告した。だが、王旦は「書類を差し戻しておけ」と言っただけであった。部下からこのことを聞いた寇準は恥じた。

またある時、家で雇っているコックが肉を盗んで困ると子供から文句が出た。王旦は「お前たちはどのくらい肉が欲しいのか？」と問うと、子供たちは「一斤（600グラム）が欲しいのに、コックが半斤を盗むので半斤しか食べられません」と応じた。それを聞くと王旦は「分かった、ではこれから一斤半を支給するがよいか」と言って、コックを叱ることはしなかった。

このような度量の大きな人物が建国間もない宋の礎を固めたわけだ。

さらには、王旦の父・王祐と同じく、将来の子孫の出世を予言して予め手を打った人がいた。晋の時代の王濬《おうしゅん》だ。

王濬の家は裕福であったので、多くの書籍を渉猟することができた。ただ、美男子であったので、女漁りに熱心な遊び人であった。しかし後年、素行を改め、世の中を変えようという大志を抱き、家を新築する時に、門の前に広さ数十メートルもの大きな広場を設けた。人々が「一体なんのためにこんな馬鹿でかい空き地を作ったのかい？」と問うと、「ここに、大軍を整列させるためだ！」と返したので、聞く者は皆、あざけり笑った。それに対し、王濬は「その昔、陳勝も〈燕雀、いずくんぞ鴻鵠の志を知らんや〉と言い返したよ」と応えた。

王濬の生き様から、「**卑下もせず、傲慢にもならず、常に志を高くもて**」というメッセージが聞こえてこないだろうか。

ところで、中国、朝鮮、日本はひっくるめて東アジアと呼ばれ、一般的に儒教文化圏であると考えられているが、日本には中国人が考える儒教の根幹のシステムである科挙が導入されず、その結果、士大夫階級が育たなかった。一方、朝鮮やベトナムでは古くに導入され、近年に至るまで科挙制度と士大夫階級が維持されてきた。

私は日本に科挙が根付かなかったことは近代の日本にとってむしろ良いことだったと思っている。しかし、一方では、現在のように政治家にしろ大企業の経営者にしろ、世界的なスタンダードから見ていま一つ劣っているのは、士大夫の伝統が過去の日本になかったせいだと考えている。この意味で、**グローバル時代の日本人は『宋名臣言行録』を読んで、儒教精神の良い面の精髄を理解し、正しい意味での士大夫精神を培う必要があると思っている。**

日本の人物伝

中国では『史記』から始まって「歴史書＝人物伝」の伝統が続いたため、人物伝に事欠かない。一方、日本においては事情が異なる。日本は文化的にみれば、中国（や朝鮮半島）から多大な影響を受けているにも拘わらず、江戸時代に至るまで人物伝は頭上を素通りしている。

私なりにその理由を考えるに、**日本人の気質があまり人物伝向きではなかった**ことにあると思う。中国の人物伝の面白さの真骨頂は魏晋時代のエピソード集である『世説新語』によく現われている。中国人は総じて実名入りのゴシップが大好きで、些細なことまで事細かく記録に残している。一つの例を示そう。東晋の謝玄が苻堅の大軍を打ち破った知らせを聞いた謝安は外面では何気ないそぶりをしながら、下駄の歯が折れたことにも気付かないほど、内面はかなり高揚していたことを侍女が見てしまった。その話が人々の口の端に上るだけでなく、永久保存版として正規の史書にまで書き残すべし、と考えるのが中国人の歴史観、人物観である。

日本の人物伝にはこういったパンチの利いた記事は少ない。それは日本人には人が嫌がるエピソードを記録にまで残さないという相手の立場を思いやる心優しい面があったからだ。しかし、人の長所・短所を厳しく見ることを避け、一面から言えば視野の狭さゆえとも言える。もっとも、日本人で立派な人物伝を書いた人もいた。森銑三《もりせんぞう》（1895〜1985年）と言い、学歴がないため、在野の学者として学界からは一段低く見られたが学識においては専門の大学の教授以上のものがあった。

森銑三の名を出したついでに言うと、同じように学歴がないために冷遇を受けた人物に、南方熊楠や牧野富太郎がいる。欧米の学界では学歴がなくても実力を認めるオープン性がある。電磁誘導の法則を見つけたファラディーは功績を認められて王立研究所の教授職に就いている。またOED（Oxford English Dictionary）を編纂したジェームズ・マレー（James Murray）は日本でいう中卒レベルの学歴しかなかったにも拘わらず、その学識は誰もが認めるところとなり、大部の辞書編纂のリーダーとして奮闘した。日本の学界では、残念ながら未だに人を実力で判断しない傾向があるように思われる。

森銑三は極めて多作な人で、『森銑三著作集』が全12巻、また『森銑三著作集 続編』が全16巻（それぞれ別巻が1巻ずつあり）ある。人物研究の同好会を結成したり、『傳記』という雑誌にも深く関与した。また、東京堂出版から、江戸・明治・大正の人物に関するエピソード集『人物逸話辞典』『明治人物逸話辞典』『大正人物逸話辞典』などを出版している。

森銑三は一時期、東京帝国大学史料編纂所に勤めていたことがあり、数多くの第一級の歴史学者とも親しく言葉を交わしたが、歴史家と人物伝に興味を持っている者との違いを次のように表わしている。

編纂所には百人余りの人々が居り、その内には史学の大家として押しも押されもせぬ人々がおられました。帝国大学や国学院出身の少壮気鋭の人々も大勢いました。しかし私はそれらの人々を通観して、歴史家には歴史家らしい一つの型があり、その態度がどこまでも知的で、史料を通して史実を究めようとしながら、史上の人物をただ史上の人物として、遠くから眺めているといった形で、もっとその人を身近に感じようとする用意に欠けていることに不満を覚えました。

言うまでもなく森銑三・本人は後者の「人物伝に興味を持っている者」という範疇の人だ。彼の素晴らしさは、こういった不満を溜めこむのではなく、自分の力で解決していった点であり、それが上記のような数多くの著作となって結実している。

一方、森銑三とは別の系統になるが、『日本逸話大事典』（全8巻）という本がある。手元にあるので時たまのぞいて見る程度だが、一巻が450ページあり、全部で3500ページにものぼる。編者の白井喬二は「編集にあたって」で本書を編纂した意図を次のように述べる。

古今東西、人間の登場しない歴史というものは一つもない。けれど歴史をひもとく場合、ともすれば治乱興亡の筋にのみに捉われて、一番重要な登場人物の「人間記録」すなわち逸話を忘れ勝ちである。……編者の念願は、これを日本の現代人、次代を担う若い人々に読んでもらいたい熱情に燃えている。なぜなら、一つ一つの逸話は生きた現代に他ならないからである。史上有名な人物の性格、言動、思想、公私の生活、長所、欠点、ふとした発言、そして、その人間味。それはトルストイ、ドフトエフスキー、ジイドの小説を読むと同じ価値があり、『源氏物語』に等しい繊細な感情を知ることになる。ここに日本人的性格があり、掘り下げた国民性が真珠の如くかがやき、国の象《すがた》がはっきり浮かんでくる。それは、歴史の心髄とはいえないだろうか。

日本には『史記』以来の中国のような人物伝の伝統がないので質の高い人物伝を探すとなるとなかなか難しいが、私は次の5点を挙げておきたい。

○『訳文　大日本史』（春秋社・10冊）山路愛山
○『名将言行録』（岩波文庫・8冊）岡谷繁実
○『先哲叢談』（平凡社東洋文庫）源了円・監修
○『常山紀談』湯浅常山（有朋堂）
○『近世畸人伝・続近世畸人伝』（平凡社東洋文庫）伴蒿蹊

『名将言行録』

江戸末期の武士・岡谷繁実《おかやしげざね》が著《あらわ》した戦国時代から江戸中期までの武将のエピソード集。数多くの図書（１２５２部）を参照したと言われ、１９２名の武将を集録している。続編として『続名将言行録』があり、徳川吉宗・細川重賢など、将軍や大名の話も掲載されている。

編纂の趣旨については、「言行を知るを主とし、履歴を叙するを主とせず」とあり、文章そのものは「雅俗たいてい原文に依り、敢えて妄りに改更する所にあらず」と原典重視の方針であったようだ。現在、テレビドラマなどのネタ本として重宝されているが、史実を正しく反映していない、俗書との批判がある。要は、**この本の内容を鵜呑みにしないで、主体的に取捨選択すれば価値が出てくる本だ**、ということになる。

『先哲叢談』

原念斎《はらねんさい》は江戸期の儒者72人のエピソードを集め『先哲叢談』として出版した。儒者と言えば、謹厳居士という印象だが、この本を読むと親近感を懐くことだろう。例えば、日本に朱子学を確立した林羅山は歴史的には大儒者でとても我々凡人には近寄り難い雰囲気があるが、彼の人間の弱さを知ると、一面では裏切られた思いをするが、もう一面ではほっとすることだろう。

江戸の名物と言えば「火事と喧嘩」が通り相場であったように、何度も大火に見舞われている。とりわけ明暦3年（1657年）正月に発生した振袖火事はその中でも最大であった。江戸城の天守閣まで焼失するほどの大火で、大名屋敷も含めほぼ江戸中が焼失したといっていいほどだ。林羅山の自慢の書庫はどうだったのだろうか？

当日、林羅山はいつものように神田の本宅で読書していた時に、弟子が火事の一報をもたらしたが、肯くだけで読むのを止めなかった。火が近くに及んでようやく読むのを止め、駕籠に乗って避難したが、それでも一向にあわてる様子なく駕籠の中でも読書を続けた。上野の別邸に落ち着いて、さらに読書を続けた。しばらくして、弟子の一人が火事現場から戻ってきて「本宅が全焼しました」と報告した。羅山は「ところで、書庫は無事だったか？」と尋ねたが「書庫も焼け落ちました」と聞くや、天を仰いで「長年蓄えた書物が一挙に亡くなってしまった」と嘆いた。その晩から羅山はふさぎこみ、5日後に突然死んでしまった。

羅山は、火事が起きても、書庫は銅製で耐火性があるので安心していた。しかし、蔵書が全焼したと聞いて気落ちして生きる気力を失ってしまった。羅山は誰もが認める鴻儒《こうじゅ》（大儒者）で学識は高かったとはいえ、人生の達人ではなかったのだろう。

『常山紀談』

江戸の中期に備前岡山の湯浅常山《ゆあさじょうざん》が戦国から江戸初期までの武将の逸話470条を編纂したのが『常山紀談』だ。常山は、30年かけて推敲したが、生前には刊行することができず、死後20年してようやく世にでた。

作者の湯浅常山は『先哲叢談』によると実に胆力のあった人であったようだ。ある時、讃岐（現在の香川県）から船に乗ったが、大しけで船がいまにも転覆しそうになり乗客はみな真っ青になったが、常山だけは顔色も変えず落ち着いて詩を吟じていたという。

さて、『常山紀談』には蒲生氏郷の高祖父である知閑の知略に富んだ話が載せられている。

ある時、敵に攻められ知閑が音羽という山城に立てこもった。敵が音羽の城に通じる水路を切り落とした。水が乏しくなったが、弱みを見せれば敵が居すわると思い、知閑は部下に命じて敵から目通しの効く中庭に馬を引き出させた。そして家来に裸になって、白い精米を桶に入れ、あたかも水の如くざーっとかけて馬を洗っているふりをさせた。敵は遠くからこの様子を見て、城内には思いの外、まだ水がたっぷりある、とすっかり騙されてしまった。ぼやぼやしているとこちらの食糧が尽きてしまうと思い、早々に囲みを解いてたち去った。知閑は音羽近辺の地理に詳しかったので、敵の退路に待ち伏せして散々に打ちのめしたという。

知閑のように度量のすわった武将なればこその機略あふれる戦いぶりだ。

『近世畸人伝、続近世畸人伝』

商家に生まれた文筆家・伴蒿蹊《ばんこうけい》が編纂した江戸時代の200人余りのエピソード集。中江藤樹、貝原益軒、契沖、池大雅《いけのたいが》などの著名人だけでなく、市井の無名人も多く含む。編集の基本方針は、道学的な教訓を垂れるのではなく、個人個人の性格が浮き出るように描写されているが、その趣は秀逸である。

江戸時代の文人画家として有名な池大雅は名誉や金銭にはまったく頓着しないおおらかな性格であった。ただ、平生の言動には常人には理解しがたいところが多かったようで、奇人（畸人）とみなされていた。

ある時、池大雅が京都から浪速に出かけたが、筆を家に置き忘れた。大雅が出かけてしばらくして妻の玉蘭《ぎょくらん》がそれに気づき、筆入れを持って後を追いかけた。ようやく建仁寺の前で夫に追いついたので、渡すと大雅は妻であることに気づかず「どこのどなたか存じませぬが、ありがとうございます」とお礼を言った。玉蘭も黙って返礼して、そのまま別れたという。

この文からも玉蘭も常人《ただもの》でないことが推察されるが、『近世畸人伝』には玉蘭についても次の文が載せられている。

池大雅と玉蘭の二人は宮中に招かれて和歌を学ぶ栄誉を受けた。玉蘭が初めて宮中に参上する日、宮中の女房（女官）たちは、場所が場所だし、玉蘭という立派な名前の持ち主は一体どういう人なのだろうかと、期待して待っていた。ようやくやって来た玉蘭といえば、ごつごつした木綿の服を着て、釣り人が持っているような魚籠《うおかご》を提《さ》げていた。その姿はまるで、大原女のようで、一同、大いに驚いた。

玉蘭は見かけをまったく気にしない人で、夫の大雅と好一対の似た者夫婦といえる。いかにも文人画家の面目躍如で、洒脱というべきか、超俗というべきか、はたまた典雅というべきか！

人物伝を読む意義

「歴史書を読め」という人は多いが「人物伝を読むべし」という人は少ない。しかし、私は「**年表のような歴史書ではなく、血が通う人物伝**」を読むことを強く勧めたい。（**人物伝以外では、「旅行記・滞在記」を読むべきだ。**）

なぜ人物伝を読むことが重要か、ここで再度その意義を考えてみよう。それは、歴史を動かしている根本は無機質な物ではなく、人間そのものであるからだ。歴史を単に記事の羅列としてみるのではなく、それぞれの状況下で、実際にどの様な行動を取った人がいたのか、具体的に知ることができるのが人物伝である。人物伝を読みながら、「もし自分がその立場に置かれたらどうしただろう」と考えて欲しい。人物伝にはいろいろなケースが現れる。当然、歴史上の話は数百年あるいは数千年前のことであるので、当時の人たちは既に死んでいるし、現代社会とのつながりは薄い。しかし、だからといって人物伝を読むのは価値がないことではない。

人物伝を読み、過去の人々の言動の中から**自分にとっての「ロールモデル」を見つけることが重要**なのだ。例えば、歌手、画家、建築家の中には、過去の偉大なマエストロのロールモデルを持っている人は多い。例えば「私はピカソの様な絵を描きたい！」という人だ。ロールモデルを持つと、現在の自分からなりたい自分に向かう道筋がはっきり見えてくる。

ただ、当時と現在では状況は違うし、社会体制や価値観も異なるので、思ったようにはならないことだろう。それでも、ロールモデルを持つことができれば、「バーチャルなリアリティ」を持つことになる。バーチャルというのは、実際には存在しないという意味だが、それがリアリティをもって自分に働きかけてくる。**要は「ロールモデルの人はこういう行動をしたが、自分であればこうする」と、想定問答的にリアリティをもってどう行動するかを考えることが大切なのである。**

先に「**人物伝はリーダーシップについての恰好の教科書である**」と述べたが、リーダーに必要な人格や品性を理論や理詰めでパターン化しようとするのは間違っている。それはちょうどピカソの絵を分析して、赤が何パーセントで曲線が何パーセントだったと調べれば、ピカソの画風が修得できると考えているようなものだ。果たしてそのような分析でピカソの画風に近づくことはできるのだろうか？　ピカソの画風に近づきたいのなら、ピカソの絵そのものが脳裏に焼き付いて、いつでも想い浮かべることができないといけないだろう。

同様に、リーダーシップを過去の人物伝から学ぶことができるというのは、過去の幾人かのリーダーの言動からパターン化された共通項を取り出すのではなく、ロールモデルとなるリーダーの言動を状況と共に思い出せることが重要だ。その時、人物伝のように言動が物語になっていれば、具体的な言葉と行動がいつまでも記憶に残り、それを思い出すことで、自分の行動にすぐに結び付けることができる。

リーダーシップ、あるいは人物伝に興味をもったら、本章で紹介している図書のいくつかに是非とも挑戦してほしい。幅広い歴史上の人物の言動の中から、きっと自分に合ったロールモデルとなる人物を見つけることができるに違いない。

あとがき

本書では、哲学、宗教、歴史、人物伝について述べたが、それまで学校で習ったような内容とかなり趣きが異なることに戸惑った人も多かったことだろう。その理由は、世間で常識といわれていることのいくつかは本書では否定されていたり、日本の文化に固有と思われていた内容も、他の文化にも見られるという指摘だろう。これを知ると「**これまで無意識のうちに信じていた常識は一体何だったんだろう？**」と考えることだろう。それは「**健全な懐疑心**」を持つということに他ならないが、現在の日本では残念ながらそのような機会は極めて少ない。自分の持っている常識に疑問を感じないのはつきつめてみれば視野が狭いからだ。そのことに気づくための仮想実験として次のような縛り（条件）のある飲み会を考えてみよう。

1. 過去100年の話はしない。
2. 日本の話はしない。

この二つの条件が設定された飲み会での会話はどうなるのだろう？　普段なら職場のできごと、上司の悪口、スポーツ、最近見つけた穴場の飲み屋、などで盛り上がる話題もここではご法度だ。日本以外の海外の話題といってもテレビや週刊誌のネタはどれもこれも最近の政治・

経済・ビジネスの話ばかりなので、これもダメ。

しかたないので、時代をさかのぼって外国の歴史から話題を探すが、学校で習った世界史の話はうろ覚えなので年表のような歴史的事件の羅列しか話せない。聴くほうも話すほうもどちらも退屈する。それではと、自然界の話として大陸移動説や、太陽の黒点、恐竜について話してもこれまた暫く話すとネタ切れになってしまう。結局、どの話題も10分も続かずに終わってしまうであろう。仮想的にでも、このような実験をしてみると普段の会話や関心が、いかに狭く、あやふやであったか、ということが身にしみて分かる。

「はじめに」で述べたように現在の我々は、人類の歴史を振り返ればこの上なく恵まれた環境にいる。これが「**人類4000年の特等席**」に座っているということだが、実際には我々の普段の関心は自分の身の回りの非常に狭い範囲だけだ。世界の歴史を見れば、縦方向の時間的には4000年という長い年月があるにも拘わらず、実質わずか100年以内の時間幅（タイムスパン）の情報で生きている。また、横方向の地理的には地球上全域の情報が易々と入手できる時代に生きていながらほぼ日本という狭い地域の情報だけで生きている。つまり、縦（時間）と横（地理）の大きな二次元の仮想平面を考えた場合、我々の知識や関心の範囲は小さな点かせいぜい細い線でしかない。こういったことが分かると、自分の視野の狭さや考えの浅さを恥ずかしく思い、これではいけないと知的平面（intellectual horizon）を拡大しようという意欲が湧いてくるだろう。哲学、宗教、歴史、人物伝を読むというのは、世界に存在する複数の価値観を疑似体験し、知的平面を拡大することだ。哲学、宗教は、**権威に寄りかかったり、屈することなく、自主性をもって読書してみよう**。歴史は、私が実践した歴史の新しい読み方、すなわち事件中心ではなく**人物中心の「人物伝」として読んでみよう**。

現在、世の中に教養書が蔓延している。それらを手にする人の中には「○○を知らないと教養がないといわれそうなので……」と教養ごっこ的知識を求める人もいるだろう。そのような意図から教養書を読むことを私は一概には否定しない。ただ、いつまでもそのレベルにとどまることは貴重な時間の浪費だ。一刻もはやくそういった段階から脱皮し、「人類4000年の特等席」に座っている幸運を生かして、過去の文化遺産をまるごとバーチャル体験して自分の血肉と化して頂きたいものだ。

最後に一つだけ注意しておきたいことがある。それは**歴史書に書かれている残虐・残酷な記述から目を背《そむ》けないで欲しい**ということだ。その理由を説明しよう。

一般的に哲学や宗教では、善人には善い報いがあるが、悪人には罰が下ると説き、人を善に誘《いざな》おうとする。しかし、歴史書（年表形式のものではなく、実態を描いた史書）を読むと必ずしもそのようなきれいごとでは済まされない事態が往々に発生していることを知る。スペイン人の中南米征服や近世の欧米列強のアジア・アフリカの植民地獲得などは、慈愛を説くキリスト教徒たちが犯した残虐な所業だ。また『史記』や『資治通鑑』のような中国の史書には目を覆うばかりの残虐な記事が何度も登場するのは本文でも触れたとおりだ。哲学や宗教の理念ではなく、歴史や人物伝から実態を知ることは重要ではあるとは理解しつつも、私自身あまりの残虐さにいたたまれない気持ちになることも、正直しばしばあった。問題は、そういった事実をありのまま書くと、現代では「ヘイト」だと槍玉に挙げられて非難される恐れがあることだ。さらに「小学生や中学生には残虐なことは話さないでください」と事実をありのまま伝えることを拒絶されることもある。

しかし、果たして残虐・残酷のような嫌な事実から目を背けることでいいのだろうか？

この点について、李氏朝鮮の末期に日露戦争の実態をルポするために朝鮮に潜入したスウェーデン人のジャーナリストのアーソン・グレブストの意見は傾聴に値する（『悲劇の朝鮮』白帝社）。彼は朝鮮の残虐な公開処刑を実際に見てその様子を詳細に記述して公表した。そのような彼の態度を批判する意見も寄せられたが、グレブストは信念をもって公表する意図を次のように説明する。

ある者はこの世の明るい面だけを見ようとして片方の目を閉じたまま人生を送っていくかもしれないが、そんな人たちの抱く人生の理解は明るく美しいものであっても、けっして正しいものではありえない。

人間はだれしも意識的に、あるいは無意識的に、残虐・残酷なことを見たり、知ることを避けようとする。しかし、それでは世の中を正しく評価することはできない。現在の世界でもコロナ禍だけでなく残酷な事態は日々発生している。これらの実態を正確に把握し、適切に対処することは必要だ。哲学、宗教の理念を鵜呑みにするのではなく、事実を自分自身で確かめようとする強い意志が求められる。この意味で、第1章でショーペンハウアーの「Selbstdenken」(自ら考えること)という言葉を紹介したが、本書を通して私の言いたかったのはまさにこのことだ。つまり**古典や現代の著名人の意見に左右されず、自分で納得のいくまで読書と思考を深めて欲しい**ということである。このような意識を持つ人間が増えることは、社会の発展につながると私は信じている。本書がそのための一助になることを願って筆を擱《お》く。

著者略歴

麻生川静男（あそがわ・しずお）

1955年、大阪府生まれ。リベラルアーツ研究家、博士（工学）。京都大学工学部卒業、同大学大学院工学研究科修了、徳島大学工学研究科後期博士課程修了。

1977年、京都大学大学院在学中、サンケイスカラシップ奨学生としてドイツ・ミュンヘン工科大学に留学。20歳の時の学友との会話とドイツ留学中のカルチャーショックの経験からライフワークとしてリベラルアーツに邁進することを決意。

1980年、住友重機械工業入社。在職中、アメリカ・カーネギーメロン大学工学研究科に留学。同大学工学研究科修了。帰国後、ソフトウェア開発に従事したあと、社内ベンチャーを起こし、データマイニング事業を成功させる。

2000年に独立し、数社のITベンチャーの顧問を兼任。2005年から2008年までカーネギーメロン大学日本校においてプログラムディレクター兼教授として教育に従事。2008年から2012年まで京都大学産官学連携本部の准教授を務める。在任中に「国際人のグローバル・リテラシー」や海外からの留学生に対して「日本の情報文化と社会」「日本の工芸技術と社会」など日英の両言語でリベラルアーツの授業を展開。

2012年にリベラルアーツ研究家として独立し、リベラルアーツ関する講演や企業研修を行う。

著書として『本当に残酷な中国史 大著「資治通鑑」を読み解く』（角川新書）、『世にも恐ろしい中国人の戦略思考』（小学館新書）、『本物の知性を磨く社会人のリベラルアーツ』（祥伝社）、『日本人が知らないアジア人の本質』（ウェッジ）、『本当に悲惨な朝鮮史』（角川新書）、『資治通鑑に学ぶリーダー論』（河出書房新社）がある。

＊個人ブログ「限りなき知の探訪」http://blog.goo.ne.jp/shizuo_asogawa

教養《リベラルアーツ》を極める読書術

2020年11月16日　第1版発行

著　者　麻生川 静男
発行人　唐津 隆
発行所　株式会社ビジネス社
〒162-0805　東京都新宿区矢来町114番地　神楽坂高橋ビル5階
電話　03(5227)1602（代表）
FAX　03(5227)1603
http://www.business-sha.co.jp

印刷・製本　株式会社光邦
カバーデザイン　常松靖史（チューン）
本文組版　茂呂田剛（エムアンドケイ）
営業担当　山口健志
編集担当　草野伸夫

ISBN978-4-8284-2231-2